CLAIRE GRATIAS

RPHANS

DOUBLE
DISPARITION

RAGEOT

Couverture de Miguel Coimbra

ISBN : 978-2-7002-4269-0

Avertissement

Toute ressemblance entre les lieux évoqués dans ce roman et la ville de La Rochelle ou sa région n'est ni fortuite ni involontaire. Ce livre étant néanmoins une œuvre de fiction, l'auteur s'est autorisé à prendre certaines libertés avec la géographie, l'architecture ou la toponymie. Le cadre de cette histoire est donc en partie réel, en partie imaginaire.

Du moins jusqu'à présent et dans cet univers-ci...

« Dormir très profondément, pensa Tengo.
Dormir, et puis se réveiller.
Quand viendrait le lendemain,
quel serait le monde qui l'attendrait ? »

Haruki Murakami, *1Q84*

1

Marin Weiss pensait qu'il faut nécessairement un événement majeur pour faire basculer une vie. L'année de ses dix-sept ans, il comprit qu'il suffit parfois d'un rien. Un fait banal, en apparence anodin. Un geste mille fois accompli. Une pensée fugace. Quelques mots.

Tout commença un samedi d'octobre, après les cours. Marin sentit une vibration familière contre sa poitrine alors qu'il s'éloignait du lycée.

Il plongea la main dans la poche intérieure de son blouson et regarda d'où provenait l'appel. L'écran lui signala un message. Appelant inconnu. *Encore une pub !* songea-t-il, agacé. Et il rempocha son smartphone.

Il fit quelques pas vers le centre ville puis s'arrêta, hésitant sur la direction à prendre. À deux pas de là, les rues commerçantes s'offraient à lui, avec leur succession de boutiques nichées sous les arcades. Un peu plus loin, le charme du vieux port le tentait également.

Il n'était jamais las de contempler les voiliers dont les coques blanches, élancées, ondulaient le long des appontements, les chalutiers aux couleurs vives qui franchissaient les deux tours médiévales escortés par des nuées d'oiseaux. Lorsqu'il flânait sur les quais aux pavés usés, Marin sentait monter en lui des envies de grand large, d'inconnu. Une attente impatiente, un désir d'ailleurs. Un appel, un signal, qui, toujours, finissait par lui échapper. Mais qui laissait une trace légère, comme une empreinte de pas sur le sable humide.

Ce jour-là, le ciel était bleu outremer. Marin n'avait aucune envie de rentrer chez lui. Encore moins de bosser sur la dissert de français à rendre dans vingt jours. Après tout, il avait quinze jours devant lui. Et pour commencer, quinze grasses matinées. Ensuite, on verrait. Marin soupira. C'était étrange, il avait attendu impatiemment ces vacances de Toussaint et maintenant qu'elles étaient là, il se demandait comment il allait remplir son temps. Il avait bien eu une idée, un truc trop cool. Mais son projet était tombé à l'eau et ça le rendait furieux. Ses parents ne comprenaient rien. Quand se décideraient-ils à lui laisser plus de liberté et à arrêter de le considérer comme un gamin?

Bip, bip, bip! Un son aigu, inhabituel, accompagnait le vibreur de son smartphone.

Intrigué, Marin le sortit de nouveau de sa poche. *Qu'est-ce qu'il a, celui-là? Il n'a jamais sonné de cette façon. Il ne va tout de même pas se mettre à débloquer alors qu'il est neuf?* Ce qu'il lut sur l'écran le scotcha sur place :

> T'en as marre de tes vieux?
> Lis le SMS de tout à l'heure!

12

– Putain, c'est quoi, ce truc ?

Marin jeta des regards autour de lui, cherchant quel était le copain qui était en train de lui faire une blague. Il ne vit que des passants inconnus.

Bon, d'accord, ça doit être Fred et il se planque pour m'observer... C'est un crack en informatique, il a dû trouver un moyen de m'envoyer un message qui s'affiche directement et qui déclenche cette sonnerie bizarre. Il faudra qu'il m'explique comment il arrive à faire ça...

Désireux d'en savoir plus, Marin revint à la boîte de réception et ouvrit le SMS précédent.

> Il y a des jours où tu rêverais d'être orphelin ?
> Tu ne supportes plus que tes parents
> ne te fassent pas confiance ?
> Tu n'es pas le seul.
> www.orphans-project.com

Marin se sentit soudain tout drôle. Il détacha ses yeux de l'écran et laissa retomber son bras le long de son corps, la main crispée sur le smartphone.

– C'est quoi, ce délire ? fit-il, incrédule.

Secouant la tête, il se remit en marche et prit la direction du parc municipal Charruyer. À cette heure-ci, il n'y avait pas grand monde. La plupart des gens étaient en train de déjeuner.

Il croisa plusieurs mères accompagnées de jeunes enfants qui rentraient chez elles, un vieux qui promenait son chien, quelques joggeurs et un type sans âge qui prenait des photos. Le regard de Marin s'attarda un court instant sur lui, car la jeunesse de ses traits contrastait avec sa chevelure entièrement blanche. L'homme s'éloigna.

Marin choisit un banc situé un peu à l'écart, au pied d'un cèdre, et s'y assit pour réfléchir. Quelqu'un était en train de le faire marcher. Aucun doute, ça ne pouvait être que Fred. Marin composa son numéro. Une voix féminine lui répondit.

– Heu... je suis bien sur le portable de Fred ? C'est Marin...

– Ah, salut Marin ! C'est Jennifer.

La dernière conquête de Fred. Militante écolo, bio, végétaro-gratte-moi-le-dos. Assommante. Et vieille en plus, au moins vingt ans.

– Salut. Tu peux me passer Fred, s'te plaît ?

– Ça va être difficile, mon chou. Il attaque sa huitième longueur.

Shit. L'entraînement de natation. Normal. Comme chaque samedi, Fred était à la piscine jusqu'à quinze heures. Marin l'avait oublié.

– Tu avais un truc urgent à lui dire ? Tu veux que je lui laisse un message ?

Si le ton était aimable, Marin crut y percevoir un soupçon d'ironie qui l'agaça prodigieusement.

– Laisse tomber. Je rappellerai.

Bon. Ce n'était donc pas Fred. Alors qui ? Qui d'autre savait que... Non, ça n'avait aucun sens. C'était juste une coïncidence.

Sa première intuition était sans doute la bonne, il s'agissait d'un message publicitaire. Mais une pub pour quoi ? Un groupe de musique branchée ? *Orphans Project*... Jamais entendu parler. Les yeux fixés sur l'écran à présent éteint, Marin songea qu'il s'agissait peut-être d'un film. Dans ce cas, le teaser nouvelle génération imaginé par la boîte de prod était carrément mortel.

Pendant une poignée de secondes, Marin avait eu la désagréable impression que son smartphone était capable de lire dans ses pensées.

– Alors comme ça, vieux, on a doté ton processeur d'une IA[1] sans m'en avertir? plaisanta-t-il.

Bip, bip, bip! fit le mobile en vibrant dans sa main.

– Héééé!

Marin sursauta si fort qu'il en lâcha l'appareil. Le rattrapant in extremis avant qu'il ne touche le sol, il l'agrippa à deux mains. Le cœur battant, il lut avidement le nouveau message.

> Arrête de te poser des questions.
> On t'attend sur www.orphans-project.com
> Un site interdit aux parents.
> Rejoins-nous vite!

Marin eut un petit rire.

Ceux qui se jouaient de lui étaient décidément très forts.

– OK, je me rends, murmura-t-il. Mektoub.

Et il cliqua sur le lien.

---

1. Intelligence Artificielle.

2

Quelques heures plus tôt...

– Il y a des moments où j'aimerais être fils unique et orphelin !

Marin prononça ces mots suffisamment fort pour que sa mère entende. Puis il ramassa son sac et son blouson jetés en vrac dans l'entrée et quitta la maison en claquant la porte.

– Qu'est-ce qu'il a, ce matin ? demanda Noémie en entrant dans la cuisine. Il va nous casser les pieds encore longtemps avec sa crise d'adolescence ?

Le regard las, sa mère s'empara du bol et de l'assiette sales laissés par son fils sur la table au milieu des miettes du petit-déjeuner.

– Il est furieux parce que j'ai refusé.

– Ah, toujours son projet de soirée... Il a essayé de dealer le truc avec papa hier soir, mais ça n'a pas marché.

– Qu'a répondu ton père ?

– « Tu verras ça avec ta mère. » Ça t'étonne ?

D'un geste mécanique, Audrey Weiss passa l'éponge sur la table.

Noémie lâcha un soupir exaspéré.

– Dis donc, tu ne crois pas que mon cher petit frère pourrait nettoyer lui-même ses saletés ?

– Tu sais bien comment il est…

– Si tu l'encourages, il ne changera jamais. Tu n'es pas sa bonne, maman !

– Oh, s'il te plaît, ne commence pas. J'ai mal à la tête.

Noémie haussa les épaules, puis sortit deux tasses du placard.

– Tu reprends un café avec moi ? C'est bon pour la migraine.

– Si tu veux.

Les deux femmes s'assirent l'une en face de l'autre et burent en silence.

– De toute façon, il l'a bien cherché. Il faut voir dans quel état on a retrouvé la maison la seule fois où il a organisé une fête, marmonna Noémie, entre deux gorgées.

Le visage tourné vers la fenêtre, sa mère semblait absorbée dans la contemplation du jardin. Le vent de la nuit avait emporté les dernières feuilles. Les arbres lançaient leurs bras maigres vers un ciel gris épais, agité de sombres vols d'oiseaux. Leur danse d'automne avait toujours fasciné Audrey. Elle dut faire un effort pour reporter son attention sur sa fille.

– Tu finis à quelle heure aujourd'hui ? demanda-t-elle doucement.

– À vingt heures. C'est moi qui fermerai l'agence. Mais je prends une pause déjeuner plus longue, j'ai rendez-vous avec Alexia.

– Bon. Tu l'embrasseras pour moi. Tu as dit au revoir à ton père ? Il prend l'avion en fin de matinée.

Noémie afficha une moue de contrariété.

– Oui, oui. Il m'a expliqué que le tournage durait presque deux mois et qu'il ne serait pratiquement pas joignable pendant les dix premiers jours.

– Ils seront en pleine forêt amazonienne, dans une zone où il n'y a pas de relais. Mais il nous appellera dès qu'il le pourra, tu le sais.

– J'ai hâte qu'il revienne et qu'il nous raconte !

– Moi aussi, répondit Audrey, le regard triste.

– En attendant, si on pouvait se débarrasser aussi de Marin, on serait tranquilles toutes les deux à la maison ! plaisanta Noémie.

Audrey secoua la tête en souriant.

– Ne dis pas de bêtises… Allez, file, tu vas être en retard à ton travail…

Noémie lui posa la main sur l'épaule et se pencha pour l'embrasser.

– Prends soin de toi, maman. À ce soir !

Pensive, Audrey Weiss resta un moment dans la cuisine, puis elle monta dans la chambre de Marin. Elle poussa la porte entrouverte, demeura quelques secondes sur le seuil avant de se décider à entrer. Au milieu du fatras qui recouvrait le bureau de son fils, elle dénicha un bloc de post-it et un stylo. Sans prendre la peine de s'asseoir, elle poussa un long soupir, puis griffonna un message sur un petit papier jaune qu'elle colla sur l'écran noir de l'ordinateur.

J'ai réfléchi.
Pour ta soirée, c'est d'accord.
On en parle quand tu veux.
Maman

En arrivant devant le lycée, Marin se rendit compte qu'il était en avance, ce qui avait dû se produire trois fois dans toute sa scolarité. Il était tellement furieux qu'il n'aurait pas supporté de rester une minute de plus à la maison. Il y a des jours où les parents sont *vraiment* trop énervants !

Quant à sa sœur, inutile de compter sur son soutien : autant attendre d'un aveugle qu'il vous aide à traverser la rue. De toute façon, elle se la pétait un peu trop, celle-là, avec son bac obtenu à dix-sept ans, son école de tourisme et son job décroché dans la foulée (n'empêche qu'elle vivait toujours chez papa-maman à bientôt vingt-cinq ans). Et qu'elle n'arrêtait pas de lui faire la morale. Si elle croyait qu'il l'enviait ! Franchement, passer ses journées à vendre des voyages qu'elle n'avait pas les moyens de se payer, il n'y avait pas de quoi être fière.

Les grilles du lycée n'étaient pas encore ouvertes. Assis sur le trottoir, le long du muret qui encadrait le portail, un groupe de jeunes écoutait un grésillement vaguement musical s'échappant d'un lecteur MP3. Marin laissa tomber son sac au pied du mur et s'y adossa, les jambes étendues devant lui sur le bitume, la tête renversée en arrière. Certains membres du groupe étaient des élèves de sa classe. Ils lui adressèrent un signe de la main.

– Salut, grogna Marin.

Il ferma les yeux, hésitant entre une furieuse envie de mordre et un irrépressible besoin de dormir.

– Bonjour beau gosse. On a droit à une bise ? demanda une fille brune assise en tailleur à sa gauche.

À contrecœur, Marin tourna la tête.

– On se connaît ?

– Non. Raison de plus pour faire connaissance.

Elle inclina son buste sur le côté jusqu'à ce que leurs épaules se touchent, et elle lui présenta sa joue. Le mouvement de son corps déplaça des effluves envoûtants qui s'enroulèrent autour de Marin comme une écharpe vaporeuse. Un mélange de patchouli, de framboise et d'encens indien.

Marin eut un mouvement de recul, l'air mécontent. Ce n'était pas le moment de l'enquiquiner. De plus, il avait horreur des dragueuses. Il posa sur sa voisine le regard d'un acheteur de voiture qui examine un modèle sous toutes les coutures pour savoir s'il lui plaît.

Cheveux courts, très noirs, travaillés au gel effet mouillé.

Grands yeux marron clair, trop maquillés.

Corps de sportive : longiligne, sec et nerveux.

Tenue vestimentaire sans originalité : jean destroy, tee-shirt au-dessus du nombril et moulant la poitrine, Converse aux pieds.

Sans vergogne, Marin s'attarda sur les cuisses de la fille.

– T'as de la chance, dis donc, il reste encore un peu de tissu entre les trous.

– Pffff ! J'croirais entendre mon père... répliqua-t-elle, vexée, en se redressant vivement.

À ce moment-là, un garçon arriva en scooter, grimpa sur le trottoir et roula jusqu'à eux, stoppant brutalement son engin à dix centimètres des pieds de Marin.

Après avoir ôté son casque et secoué ses boucles blondes, il regarda la fille avec un sourire narquois.

– Laisse mon pote tranquille, Tessa. T'es pas son genre.

La brune aguicheuse bondit sur ses pieds et haussa les épaules avec mépris.

– Ah ouais ? Et c'est quoi, son genre ? Les blondinets à scooter ? lança-t-elle avant de tourner les talons.

Le garçon éclata de rire.

S'appuyant sur une main, Marin se remit laborieusement debout. Il se sentait autant d'énergie qu'un boa qui finit de digérer un éléphant.

– Salut Fred, articula-t-il en serrant la main du nouveau venu. Ça roule ?

– Tu sais que t'es drôle quand tu veux, toi ?

– Ouais. Sauf qu'aujourd'hui, je veux pas.

– T'es dans un mauvais jour ?

– Le mot est faible.

– C'est quoi, le problème ?

– La teuf. Mes parents ont dit niet.

– Shit.

– J'en ai ras-le-bol. Dès que j'ai envie de faire un truc un peu cool, c'est non.

– Tu veux une clope ?

– Non. Je suis trop dégoûté.

Fred alluma une cigarette. Il prétendait que ça l'aidait à réfléchir.

– T'es sûr que c'est niet, niet ?

– Aucun espoir. Rappelle-toi la dernière fois, on n'a pas « respecté le contrat ».

– Je me souviens pas, je crois que j'avais trop bu.

– Ben voilà, il est là, le problème. D'après ma mère, on a abusé.

– C'est elle qui abuse. On va tout de même pas faire une fête au jus d'orange et au Champomy.

– Ben non. On n'a plus l'âge. Mais ça, les parents veulent pas le comprendre.

– On dirait qu'ils ont toujours été vieux !

– T'as raison. Franchement, ça me dépasse. Il y a des jours où...

Une sonnerie retentit et le gardien du lycée vint ouvrir le portail. Les élèves se levèrent sans se presser et se dirigèrent vers le long bâtiment à façade blanche dont le crépi tombait par plaques. Fred jeta sa cigarette, descendit de son scooter et le poussa moteur éteint en direction des emplacements réservés aux deux-roues.

– On pourrait la faire chez Pierrot, proposa-t-il.

– Négatif, il part en stage pendant toutes les vacances.

– Ah, ouais, c'est vrai. Et David ?

– Ses parents viennent de lui annoncer qu'ils allaient divorcer. Il aurait l'air de fêter ça...

Fred éclata de rire en envoyant un coup de poing amical dans l'épaule de Marin.

– Quand je te dis que t'es un marrant, toi ! T'imagines David : « Hé, les mecs, mes parents divorcent. Ça s'arrose ! »

Durant une minute, il fut obligé d'arrêter de pousser son scooter, plié en deux tellement il riait. Marin, lui, demeurait impassible.

– J'ai une idée, annonça-t-il, les sourcils froncés. Le premier homme politique qui fait passer une loi autorisant les enfants à divorcer de leurs parents, je vote pour lui.

– Faudrait déjà que t'aies le droit de vote, observa Fred en bouclant son antivol. Allez, grouille, ça sonne. Si on traîne trop, il restera plus que des places au premier rang.

– J'aurai dix-huit ans dans six mois, ça lui laisse le temps de peaufiner son programme, répondit Marin.

– Tu parles de qui, là ?

– Du futur président. Avec une loi comme celle-là, je te parie que tous les jeunes voteront pour lui.

Fred secoua la tête.

– Non. Moi, je voterai pour celui qui rendra la scolarité facultative et qui permettra aux élèves de choisir leurs profs.

– Ce jour-là, y en aura un paquet au chômage, tu peux me croire !

– Ouais. Le prof de français, par exemple.

– Bien vu. Au fait, t'as commencé ta dissert ?

– Non. Pas le courage. Et toi ?

– Pareil. Mais ma copine m'a promis de me filer un coup de main.

– Veinard.

Au moment où les deux garçons pénétraient dans la salle de cours, Marin demanda négligemment :

– Tu la connais la fille de tout à l'heure ?

– Tessa ?

– J'sais pas. La brune un peu allumeuse qui avait pas l'air de te porter dans son cœur...

– Ouais, Tessa. Elle t'intéresse ?

– Non, non, c'est juste pour savoir.

Fred leva les yeux au ciel.

– Mon frangin est sorti avec elle l'an dernier. Un conseil, mec, si tu veux rester peinard, oublie-la !

3

Marin cliqua sur le lien.

La page d'accueil d'orphans-project ressemblait à la bande-annonce d'un film ou à un trailer de jeu vidéo.

D'abord un écran noir. Quelques notes discrètes. Musique d'inspiration celtique avec chants éthérés en fond sonore.

Puis, en off, une voix grave, chaude, au timbre marqué.

– *Parce qu'on n'a qu'une seule jeunesse, personne n'a le droit de la gâcher...*

Ouverture en fondu. Un paysage apparaît, qui semble filmé depuis un hélicoptère. Une terre aride, caillouteuse, cernée de montagnes et d'éboulis. Au centre, la silhouette d'un adolescent. Fille ou garçon, difficile à dire.

Travelling circulaire autour du personnage. En plongée. Le visage reste dans l'ombre.

– *Tu te sens seul, incompris. Tu en as assez que tes parents te considèrent comme un enfant. Tu voudrais qu'ils cessent de contrôler ta vie. Tu aimerais qu'ils te laissent vivre comme tu le souhaites. Qu'ils te montrent qu'ils t'aiment vraiment...*

La musique s'intensifie. Zoom avant sur le personnage à contre-jour. Menton contre la poitrine, la main sur le cœur, il se redresse brusquement, rejette la tête en arrière et pousse un long cri en regardant le ciel. Amoncellement de nuages sombres, menaçants. Retour de la voix off.

– *Tu voudrais être toi-même. Tu voudrais être libre !!!*

Zoom arrière. Le personnage, vu de dos, se met à courir. De plus en plus vite. Chacune de ses foulées soulève de la poussière et fait voler des cailloux. Il fonce droit devant lui, saute par-dessus les éboulis.

La musique s'accélère. Les chants elfiques ont laissé la place à une bande-son typique des scènes d'action, au rythme haletant calé sur la course du héros. À l'horizon, le ciel devient de plus en plus clair. Le personnage escalade une barrière de rochers, se hisse au sommet et découvre une muraille qui émerge de la brume. Elle semble ceindre une forteresse : la frontière du territoire dans lequel l'adolescent est enfermé.

Infatigable, il dégringole le versant rocheux et se remet à courir. Bientôt, une immense porte se matérialise devant lui. Elle s'entrouvre, laissant filtrer une lumière aveuglante. Il tend la main vers elle. Il n'est plus qu'à une vingtaine de mètres.

– *Il ne tient qu'à toi !* clame la voix.

Cut.

L'écran reste noir trois secondes, puis quelques lignes défilent en lettres blanches à la manière d'un générique de fin.

> N'en reste pas là. Rejoins Orphans Project.
> Trouve les QR codes et laisse-toi guider.

Abasourdi, Marin ne parvenait pas à détacher les yeux de son smartphone. Il n'avait jamais vu un truc pareil. *Les QR codes ? Quels QR codes ?* se demanda-t-il.

Examinant la page sur laquelle s'était ouvert le site web, il chercha en vain une barre latérale permettant d'accéder à d'autres informations. Il promena le curseur de bas en haut et de gauche à droite, mais cela n'eut aucun effet. Rien ne lui donnait accès au moindre élément de navigation. Il s'apprêtait à renoncer et à quitter l'application lorsqu'un message apparut :

> Façade musée - Tu as 5 mn.

4

Les deux jeunes femmes optèrent pour une crêperie sur les quais et s'installèrent en terrasse. Le temps était incroyablement doux pour une fin octobre. Le soleil flattait les coques des bateaux de ses rayons obliques, leur donnant un regain d'éclat. Les plaisanciers profitaient de l'arrière-saison et des voiliers se croisaient entre les deux tours qui se dressaient à l'entrée du vieux port. Autour du bassin, des promeneurs flânaient en manches courtes et lunettes de soleil. Il flottait dans l'air une atmosphère de vacances qui invitait au voyage et à la rêverie.

– Alors, comment ça va ? demanda Noémie en prenant place sur une chaise en rotin. Tu as l'air en forme.

– Pfff ! Crevée, comme d'habitude. Trop de boulot. T'as vu ma tronche ? Aussi grise et chiffonnée qu'une serpillière !

Noémie haussa les épaules en riant. Elle avait toujours admiré la beauté d'Alexia, son épaisse chevelure couleur cuivre et ses grands yeux gris en amande.

– Arrête, tu es magnifique !

– Achète-toi des lunettes, ma vieille. J'ai une ride de plus sur le front et je commence à avoir des pattes d'oie au coin des yeux. Je devrais peut-être arrêter de fumer. C'est mauvais pour la peau.

– Sage décision, approuva Noémie en ouvrant la carte des menus. J'ai une de ces faims !

– Ah, tu vois, toi aussi tu as remarqué ! Je pense que je vais me décider pour une crème antirides.

– Je n'en trouve pas sur la carte...

Alexia ignora la plaisanterie et poursuivit, plus sérieuse que jamais :

– J'ai écrit un article là-dessus récemment, il existe d'excellents produits... Au fait, tu utilises quoi, toi, comme crème de jour ?

– Alexia...

– Quoi ?

– On a vingt-cinq ans, je te rappelle !

– Justement, ma vieille ! Si on ne fait rien maintenant, à quarante ans on aura l'air de deux vioques, je te le garantis !

– Vous avez choisi ?

Un serveur au visage tavelé et au front dégarni se tenait debout devant elles, carnet en main, expression impassible.

– Une salade du pêcheur, s'il vous plaît, fit Noémie en s'efforçant de garder son sérieux.

– Même chose, dit Alexia d'un ton morne. Et une grande bouteille d'eau plate, s'il vous plaît.

– Tu as arrêté le Coca? s'étonna Noémie.

– Ouais, le normal fait grossir et le light est bourré de produits chimiques... Tu as vu ce type?

– Quel type?

– Le serveur! On lui donnerait quatre-vingts ans!

– Tu exagères...

– À peine. Voilà le résultat quand on ne prend pas soin de soi. Il ignore sûrement qu'il existe des produits qui enlèvent les taches de vieillesse et des techniques très au point pour faire des implants de cheveux...

– Il n'en a peut-être tout simplement pas envie.

Alexia fit la moue.

– Après tout, s'il préfère être moche, c'est son problème.

– Tu sais, ce n'est pas parce qu'on est vieux qu'on est forcément moche.

– Tu penses vraiment ce que tu dis, là, ou tu veux juste me provoquer?

– Les deux! répondit Noémie en riant.

Alexia plaqua les mains sur ses joues en soupirant.

– Tu as raison, je suis fatigante avec mes angoisses. Parle-moi un peu de toi.

– Oh, dans l'ensemble, ça va. Rien de transcendant à l'agence, mais je ne me plains pas. À la maison, toujours pareil. Mon père n'est jamais là, mon frère ne s'arrange pas et ma mère déprime. La routine, quoi.

– T'as pas envie de prendre un appart?

– Bof, vivre toute seule, ça me branche moyennement.

– Tu t'inquiètes toujours pour ta mère, déduisit Alexia.

– Elle s'efforce de donner le change, mais je sais très bien que, dans le fond, elle ne va pas bien, soupira Noémie.

– Elle refuse toujours de se confier à toi ?

– À moi comme à qui que ce soit d'autre. J'ai renoncé à la faire parler. Je me contente d'être là.

– Mais tu as aussi ta vie à faire ! protesta Alexia. Un jour, il faudra tout de même que tu quittes ta mère...

– On verra ça quand j'aurai trouvé l'homme de ma vie. Pour l'instant, ce n'est malheureusement pas à l'ordre du jour.

– Toujours rien à l'horizon ?

– Juste des relations comme ça, en passant. Et toi ?

– Idem. C'est la crise, ma vieille ! s'esclaffa Alexia.

– Ça te dirait qu'on se fasse un ciné, ce soir ?

– Ah, désolée, ce soir je ne peux vraiment pas. Le boulot !

– Tu bosses sur quoi en ce moment ?

Les yeux d'Alexia se mirent à briller. Elle rapprocha sa chaise de la table et se pencha en avant avec des mines de conspiratrice, jetant de rapides coups d'œil à droite et à gauche.

– Un sujet totalement inédit. Un truc génial ! répondit-elle en baissant la voix.

– C'est top secret ? s'enquit Noémie sur le même ton.

– Pratiquement.

– C'est pour quel magazine ?

– Je ne sais pas encore. Le plus offrant. Je vise le scoop, ma chère !

– Raconte...

Elles s'interrompirent le temps que le serveur dépose devant elles deux assiettes bien garnies et remplisse leurs verres. Alexia attendit qu'il se soit éloigné, s'assura que personne ne les écoutait aux tables voisines et murmura :

– Le Seahorse Institute, ça te dit quelque chose ?

– J'en ai vaguement entendu parler par des collègues de l'agence. Certains prétendent que c'est une boîte de cosmétiques américaine. D'autres évoquent un labo pharmaceutique. Ou un centre de thalasso. J'ai l'impression que personne ne sait vraiment et que chacun y va de sa petite histoire.

Alexia hocha la tête.

– Exact. Par contre, ce qui est certain, c'est que l'Institut s'est installé dans l'ancien bâtiment des thermes marins.

– Ah bon ? C'est là ? Ce vieux truc délabré dans le parc au bout du mail, après la plage de la Concurrence ? Je croyais que le maire avait décidé de le démolir.

– Il semblerait que quelqu'un ait déposé sur la table un chèque suffisamment conséquent pour le faire changer d'avis. La bâtisse a été rachetée, entièrement rénovée et transformée en centre de soins réservé aux VIP.

– Alors finalement, c'est un centre de soins... Pourquoi ne pas avoir construit un établissement neuf ? Ça aurait coûté moins cher, non ?

– C'est ce que je me dis aussi.

– Ça serait un bon sujet pour la rubrique beauté/santé. Mais je ne vois pas où est le scoop. Il aurait fallu que tu écrives un article au moment de l'ouverture.

– Justement ! Tu t'en souviens, toi, de l'ouverture ?

– Pas du tout, tu sais que je ne m'intéresse pas à ce genre de chose.

– Oui, mais moi, étant donné mon métier, j'aurais dû avoir l'info. Or, rien du tout ! J'ai fait une recherche pour savoir à quelle date le centre avait été inauguré, s'il y avait eu une soirée de lancement, etc. Eh bien, figure-toi que je n'ai rien trouvé ! Pas une ligne dans la presse locale ou régionale, encore moins dans la nationale. Je trouve ça curieux.

– Il y avait sans doute des sujets plus importants ou plus graves à traiter à ce moment-là.

– C'est ce que j'ai pensé. Toutefois je n'en suis pas restée là. Et apparemment, le mot d'ordre de cette mystérieuse boîte est *discrétion*. À la mairie, on m'a répondu sèchement qu'on ne pouvait pas me renseigner. Même topo à la chambre de commerce. Je commençais à me demander comment j'allais réussir à obtenir des infos. Mais tu me connais, plus c'est verrouillé, plus je m'obstine.

– Tu n'as pas essayé d'y aller ?

– Bien sûr que si ! Le problème, c'est qu'on n'entre pas comme ça au Seahorse Institute, ma chère. On m'a clairement laissé entendre qu'il fallait être « introduit ». Et il semblerait que la maison apprécie modérément les journalistes. Alors à tout hasard, j'ai appelé Sam !

– Sam ?

– Mon amie américaine, Samantha.

– Celle qui coache des artistes et des people ?

– Oui. Je lui ai demandé si elle avait entendu parler du Seahorse Institute. Je n'y croyais pas vraiment, mais j'ai tenté le coup.

– Et alors ? demanda Noémie, de plus en plus intéressée.

– La chance du débutant, ma vieille! Sam connaissait. Elle a eu l'air très étonnée que je lui parle de cet établissement. Elle s'est un peu fait prier pour me donner des infos et m'a dit et répété que ça devait rester confidentiel. D'une part parce que l'Institut ne veut aucune publicité, d'autre part parce que les personnes qui y séjournent ne tiennent pas à ce que cela se sache. J'ai insisté pour savoir ce qu'était exactement le Seahorse et elle m'a répondu qu'on y proposait essentiellement des soins haut de gamme...

– De quel genre? Des enveloppements d'algues, des jets relaxants à l'eau de mer et des séjours minceur?

Alexia plissa les yeux et se mordit la lèvre inférieure comme si elle hésitait à faire à son amie une révélation d'importance.

– Mieux que ça! chuchota-t-elle.

– Des trucs coquins? gloussa Noémie.

Alexia pouffa dans sa serviette.

– Tu n'y es pas du tout! Il s'agit de soins *expérimentaux*. C'est un institut à la pointe du progrès qui utilise paraît-il des techniques révolutionnaires. Ils auraient inventé un procédé permettant la régénération cellulaire! Les effets seraient extraordinaires : augmentation de la mémoire et de la concentration, performances physiques et mentales améliorées, renforcement de l'immunité, traitement de la dépression et... rajeunissement!

– Rien que ça? fit Noémie, sceptique. Faudra que j'en touche un mot à ma mère.

– Je suis sérieuse! D'après Sam, le type qui dirige l'Institut est un Français qui a fait ses études aux USA. Ce serait un scientifique de génie, une sorte de surdoué. Et il obtiendrait des résultats stupéfiants.

Sam dit que deux de ses clients ont fait une cure au Seahorse Institute et sont revenus transformés. Mais ils refusent d'en parler. À mon avis, ils ont pour consigne de la boucler parce que le gars veut garder le monopole. Malgré tout, la rumeur a commencé à se répandre dans le milieu du show-biz et du cinéma. Les people qui veulent essayer sont de plus en plus nombreux. Il y aurait déjà une liste d'attente !

– Je suppose que ça coûte une fortune.

– Oui. Pour le moment, les clients appartiennent tous à la jet-set. Seule l'élite peut s'offrir une cure de jouvence ! soupira Alexia, une pointe de regret dans la voix.

– Ne me dis pas que tu aimerais servir de cobaye ! Si ça tente ceux qui ont les moyens, grand bien leur fasse. Moi, je ne m'y risquerais pas. « Régénération cellulaire », non mais ils ont vu jouer ça où ? Ils ont trop regardé *Heroes* !

Alexia secoua vigoureusement la main devant le visage de son amie, comme si elle voulait l'éventer.

– Chuuuuuuuut ! Tout ça est ultra confidentiel ! Je n'aurais même pas dû t'en parler, déclara-t-elle, l'air contrariée.

– Ne t'inquiète pas, ça restera entre nous. Dis-moi franchement, tu y crois à ces cures miraculeuses ?

Alexia haussa les épaules.

– À mon avis, beaucoup de gens sont prêts à croire n'importe quoi, surtout quand on leur promet la lune. Je suis à peu près sûre que tout ce tralala n'est qu'une monstrueuse esbroufe destinée à arnaquer celles et ceux qui sont obsédés par leur apparence...

– C'est exactement ce que je pense.

– ... J'ai quand même envie d'en savoir plus sur cet institut.

– Tu crois qu'il pourrait s'agir d'une secte ?

– Je ne sais pas... Ce n'est pas exclu. La suite au prochain épisode !

– Comment est-ce que tu comptes t'y prendre ? Ça m'étonnerait que tu arrives à trouver des personnes qui acceptent de témoigner !

Alexia sourit, se renversa contre le dossier de son siège et annonça d'un ton tranquille :

– Effectivement, ça risque d'être difficile. Mais ne t'en fais pas, je crois que j'ai un autre moyen... Sois sympa, pense à moi très fort ce soir !

5

Le musée de l'Échevinage était, de loin, le plus remarquable et le plus pittoresque de la ville. Un soleil généreux éclaboussait les vieilles pierres du mur d'enceinte de style gothique qui protégeait le monument. En plein XXIe siècle, il était surprenant de se retrouver soudain au pied d'une forteresse dotée de créneaux et d'un chemin de ronde équipé de mâchicoulis.

Scrutant la muraille, Marin ne tarda pas à apercevoir un carreau de céramique apposé entre les deux ouvertures en ogive percées dans l'enceinte. *Je ne l'avais jamais remarqué,* songea-t-il.

S'approchant, il reconnut le motif noir et blanc caractéristique des QR codes. Sans hésiter, il ouvrit l'application de lecture E-nigma sur son smartphone et visa le panonceau. Une nouvelle page du site orphans-project remplit alors l'écran du mobile. En toile de fond s'affichait une photo du mur à double porte devant lequel se tenait Marin. Des phrases se mirent à défiler.

Avec Orphans Project, tu vas vivre
une aventure intense.
Deviens acteur de ta propre vie.
Ne laisse plus personne décider pour toi
ni t'empêcher d'être toi-même.
Rejoins des jeunes qui te ressemblent
et qui te comprennent. Avec eux, tu partageras
des moments extraordinaires, une expérience
exceptionnelle, inoubliable. Mais garde
toujours en mémoire les quatre pivots
de l'action humaine...
Traverse la cour. Commence par la droite.

Marin franchit le mur d'enceinte et pénétra dans la cour intérieure. Face à lui se dressait le corps de logis principal, de style Renaissance, célèbre pour sa galerie à neuf arcades cintrées richement décorées. Marin se rendit directement à la colonne située à l'extrême droite et en fit le tour. Il dénicha un deuxième QR code discrètement apposé sur la partie la plus sombre, celle qui donnait sur l'intérieur de la galerie. Il leva le bras pour le scanner. Cette fois, l'opération déclencha un fichier son. C'était la même voix grave que dans le trailer.

– *Recule de cinq pas et regarde, au premier étage, les quatre statues nichées dans la façade...*

Marin les connaissait par cœur. Entre les visites organisées par les profs au collège et les explications de son père à chaque promenade en famille, impossible de rester ignorant sur le sujet. Fermant les yeux en souriant, il récita à mi-voix :

– Les quatre vertus cardinales, Prudence, Justice, Force et Tempérance.

– *Bien !* reprit la voix. *Maintenant, recule et lève la tête.*

Marin pâlit imperceptiblement. *C'est complètement dingue, on dirait que quelqu'un me parle en direct.* Il regarda l'écran de son mobile, mais celui-ci n'affichait qu'un rectangle avec un curseur horizontal caractéristique des fichiers sons. Marin tenta de revenir en arrière pour réécouter la dernière phrase, mais il n'y avait aucun moyen de contrôler l'écoute. On ne pouvait ni l'interrompre, ni en avancer le déroulement, ni revenir au début. Tout se passait comme si le message ne devait être entendu qu'une fois. *Logiciel sophistiqué,* pensa Marin, admiratif. *Apparemment, j'ai affaire à des vrais pros.*

Pivotant lentement sur ses talons, il inspecta les alentours, mais ne vit qu'un groupe de touristes étrangers écoutant une visite guidée, tandis qu'au-dessus d'eux un homme aux cheveux blancs, visiblement pressé, montait l'escalier qui conduisait au pavillon Renaissance. Sans doute quelqu'un qui travaillait au musée.

Marin recula de cinq pas et leva les yeux sur la statue à la mode antique. La dernière de la série. La première dans l'ordre qu'on lui demandait d'observer. Qui était ce *on ?* Plus les minutes s'écoulaient, et plus Marin sentait grandir en lui l'envie de le découvrir.

– La Tempérance, dit-il à mi-voix. Figurée par une jeune femme tenant deux récipients, l'eau passant de l'un à l'autre. Elle symbolise la maîtrise de la volonté sur les instincts...

– *... et incite à mettre de l'eau dans son vin. Cette vertu est aussi appelée sobriété. Hum ! Cela te rappelle sans doute quelque chose...*

41

Marin pensa immédiatement à son projet de fête et aux reproches de sa mère. Il rougit.

– *Continue en remontant sur ta gauche. La deuxième devrait te plaire davantage.*

La statue portait une colonne brisée sur son épaule et son pied reposait sur une tête de lion.

– La Force, murmura Marin. C'est-à-dire le courage, qui permet de rester ferme et constant dans l'adversité, d'affermir sa résolution et de surmonter les obstacles.

– *Parfait. Passons à la suivante.*

Dans la main droite de cette femme au visage sévère, une épée tenue pointe en haut soulevait un voile, tandis que sa main gauche maintenait en équilibre les deux plateaux d'une balance.

– La Justice, constante et ferme volonté de donner à chacun ce qui lui est dû, récita Marin.

– *Précisément !* commenta la voix. *Il ne nous en reste plus qu'une...*

Marin se déplaça une nouvelle fois sur la gauche, jusqu'à ce qu'il se trouve en face de la dernière statue de marbre blanc.

– La Prudence, dit-il.

– *Trouve le code,* répondit la voix.

Marin jeta un œil à son smartphone, l'écran affichait la série d'icônes représentant les applications disponibles. Sans attendre, il activa E-nigma, repéra un QR code fixé sur le premier pilastre de la galerie et lança la lecture. Une nouvelle page d'orphansproject.com s'ouvrit. C'était une vidéo montrant la statue de la dernière vertu cardinale sous différents angles, avec des gros plans sur certains détails : le miroir dans sa main gauche, le serpent vaincu écrasé par son talon droit.

– *La prudence permet de discerner en toute cir-constance le véritable bien et nous aide à choisir les moyens de l'accomplir,* commenta la voix off. *Tu dois maintenant trouver le miroir, premier attribut de cette vertu. Ensuite seulement tu pourras rejoindre les jeunes d'Orphans Project. Nous comptons sur toi. À très vite !*

La voix se tut. Marin regarda attentivement son téléphone mobile. La vidéo s'était arrêtée sur une image. Une ligne de texte apparut.

> Indice : camera obscura

Et le smartphone se déconnecta.

Marin demeura perplexe quelques instants, puis il se connecta à un moteur de recherche et tapa *camera obscura.*

« Nom latin de la "chambre noire", instrument d'optique à l'origine de la photographie », lut-il aus-sitôt après. Une illustration accompagnait la défini-tion. On y voyait une cabine obscure à l'intérieur de laquelle un homme observait une image inversée du décor extérieur projetée sur l'une des parois. Celle-ci provenait d'un simple trou pratiqué dans la cloison opposée, qui concentrait les rayons lumineux.

Quel rapport entre la chambre noire et le miroir ? se demanda Marin.

Il traversa la cour et quitta le musée, marchant au hasard dans les rues adjacentes. Il avait beau se creuser la tête, il ne trouvait absolument aucun lien entre ces deux éléments.

À moins que... se dit-il. Le miroir nous renvoie notre propre image et la photo, quand il s'agit d'un portrait, nous offre elle aussi une image de nous-mêmes. Oui, c'est sans doute ça. Et après ?

Continuant à marcher sans savoir où il allait, il poursuivit sa réflexion. *Pas mal, leur jeu, mais j'aimerais bien avoir les soluces pour avancer plus vite... Bon, alors, si j'étais en train de jouer à un jeu vidéo, qu'est-ce que je ferais – à part tricher ?* Il se mit à rire tout seul. *Pfff ! Pas fastoche*, songeait-il en passant de nouveau en revue les indices dont il disposait. *Le miroir, la photographie, la chambre noire, une cabine obscure, un portrait, une image dans le miroir, se voir dans le miroir, se faire photographier, une cabine...*

Brusquement, Marin stoppa net au milieu du trottoir, frappé par l'évidence.

– Bon sang ! Un photomaton !

Où est-ce qu'il y en a, déjà ?

Le plus proche était celui de la gare. Quelques minutes plus tard, il pénétrait dans la cabine.

Il tira le rideau, épais, noir, dont le bord inférieur traînait sur le sol, s'assit sur le tabouret et le fit pivoter jusqu'à ce que le reflet de son visage soit à la bonne hauteur. Avec un sourire de satisfaction, il examina le miroir qui lui faisait face. Dans le coin supérieur droit, il découvrit une étiquette plastifiée de la taille d'une pochette d'allumettes, aux fameux motifs noirs et blancs.

– Trop fort, murmura-t-il.

Brandissant son smartphone, il déclencha la lecture du QR code.

– *Le miroir est bien l'attribut de la Prudence*, reprit la voix désormais familière. *Parce que, comme l'écrit l'alchimiste Fulcanelli, il est « l'ouverture à la Vérité :*

c'est dans le miroir que les Maîtres voient la nature à découvert. Car la nature ne se montre jamais d'elle-même au chercheur, mais seulement par l'intermédiaire de ce miroir qui en garde l'image réfléchie ». Tu vas tout de suite en faire l'expérience. Tends le bras droit et place ton smartphone face à la glace, de façon à ce que l'écran et la glace forment un angle d'environ trente degrés...

Marin s'exécuta. Il eut tout juste le temps de voir un rayon vert fluorescent jaillir du mobile vers le miroir et revenir droit sur lui. Cela se passa tellement vite qu'il n'eut pas le réflexe de s'écarter et il eut l'impression de recevoir un coup de poing dans la poitrine. Puis, aussitôt, la lumière s'éteignit et Marin se retrouva plongé dans l'obscurité. *Hé! C'est quoi ce truc ? Ça a fait sauter les fusibles, à tous les coups,* pensa-t-il en regardant autour de lui, les yeux écarquillés. Il s'attendait à distinguer un rai de jour, mais curieusement ses yeux ne percevaient absolument rien. Marin était plongé dans des ténèbres si épaisses qu'elles en devenaient presque palpables. L'air qu'il respirait semblait maintenant plus lourd, comme s'il se fût trouvé sous terre.

– Game over, je me tire, dit-il tout haut, le cœur battant.

Il tendit le bras gauche, cherchant à tâtons le rideau.

Il ne le trouva pas.

La cabine paraissait subitement beaucoup plus grande.

De la main droite, il essaya de toucher la cloison. Elle avait également disparu.

– Qu'est-ce qui se passe ? fit Marin d'une voix blanche.

Et brutalement, une douleur fulgurante traversa son cerveau. Il s'écroula au sol en gémissant, tenant son crâne à deux mains. Les yeux clos, le souffle court, il tenta de se redresser en s'appuyant sur le tabouret.

Il n'y avait plus de tabouret.

D'ailleurs, il n'y avait plus rien du tout. Rien que du vide. Autour de lui. En lui.

Au bout d'un moment, la douleur cessa soudainement. Marin n'eut pas le loisir de s'en rendre compte. C'était comme s'il s'était jeté d'un pont enjambant un fleuve. Après avoir violemment percuté la surface, il s'enfonçait à présent dans une eau glacée qui paralysait ses membres, à la merci d'un courant tourbillonnant qui l'entraînait inexorablement vers le fond.

C'est étrange, je respire encore, songea-t-il, plus étonné qu'effrayé.

Ce fut sa dernière pensée consciente.

Peu de temps après, un homme à l'épaisse chevelure blanche écarta le rideau du photomaton et pénétra dans la cabine.

Elle était vide. Ou presque.

Avec l'ongle du pouce, l'homme décolla l'étiquette noire et blanche du miroir. Il ramassa le téléphone mobile qui gisait sur le sol, le glissa dans sa poche et quitta rapidement les lieux.

I

Le chef des Patrouilleurs demanda à la secrétaire de l'annoncer. Il précisa qu'il était en code 3. Elle transmit aussitôt puis, d'un geste, lui signifia qu'il pouvait entrer dans le bureau.

Debout face à la fenêtre, Proteus patientait. Il ne se retourna pas.

– Je vous écoute, Miller.

– Récupération du sujet 1 effectuée. Aucun incident à signaler.

– Bien. Vous pouvez opérer le transfert immédiatement. Les Laborants de l'équipe 2 vous attendent à Icarion. Que donnent les constantes vitales ?

– Stables.

– La fréquence de ses ondes ?

– Thêta, entre 5 et 6 Hz.

– Essayez de le descendre en delta : 4 Hz.

– Comme pour le sujet 1 bis ?

– Exactement.

– *Autre chose ?*

– *Dites aux Laborants de le préparer dès qu'ils l'auront réceptionné. Je les rejoindrai demain matin.*

– *Bien monsieur.*

Avant de quitter la pièce, le dénommé Miller déposa un téléphone portable sur le bureau. Proteus le rangea dans un tiroir et sortit à son tour.

– *Je dois m'absenter, annonça-t-il à sa secrétaire. Je serai de retour dans quarante-huit heures.*

6

Alexia avait passé deux heures à se préparer. Tailleur chic, maquillage discret, escarpins, boucles d'oreilles, cheveux remontés en chignon d'où s'échappaient deux ou trois boucles couleur cuivre. Élégante sans être stricte, elle était ravissante.

Pourtant, elle n'était pas totalement satisfaite du résultat et avait bien failli se changer pour la quatrième fois, ce qui l'aurait définitivement mise en retard.

Après avoir regardé l'heure, elle avait donc attrapé en vitesse ses clés et son sac et quitté son appartement en lançant une de ses formules favorites : *alea jacta est !*

Lorsqu'elle arriva à la hauteur de l'hôtel particulier où avait lieu le vernissage, elle constata qu'elle avait encore un peu de temps devant elle puisque des personnes invitées fumaient tranquillement une cigarette sur le trottoir avant de monter.

Leur jetant un rapide coup d'œil, elle se félicita. La plupart des hommes étaient en costume cravate et les femmes savamment habillées, maquillées et coiffées. Du beau monde. Le gratin de La Roche d'Aulnay. Elle avait vu juste, elle serait dans le ton.

Arborant son plus joli sourire, elle se dirigea avec assurance vers le type vêtu de noir chargé de l'accueil dans le hall d'entrée.

– Bonsoir mademoiselle. Puis-je voir votre invitation, je vous prie ?

– Mais, naturellement... répondit Alexia sans se démonter.

Elle ouvrit son sac et farfouilla à l'intérieur. Elle en sortit divers objets qu'elle déposa au fur et à mesure sur le guéridon derrière lequel se tenait l'homme : un agenda, une facture d'électricité, un tube de rouge à lèvres (« Oh là là, il y a un de ces bazars, là-dedans ! »), un paquet de mouchoirs, un programme de cinéma, un carnet Moleskine noir, un bon d'achat de parfumerie (« Ça alors, il était là ! Je le cherche depuis une semaine ! »), un trousseau de clés, un tube d'aspirine... le tout ponctué de battements de cils et de sourires charmeurs. Mais de carton d'invitation, point.

Derrière Alexia, des invités qui venaient d'arriver commençaient à s'impatienter.

– Je vous en prie, s'excusa-t-elle en s'écartant légèrement pour leur permettre de passer. Je suis désolée !

Les hommes lui sourirent, les femmes lui jetèrent un regard condescendant. Ils présentèrent tous leur carton et le type en noir leur indiqua qu'ils pouvaient monter.

Alexia ouvrit de grands yeux candides.

– C'est idiot, je ne trouve plus mon invitation. J'ai dû l'oublier à la maison. Je ne comprends pas. Je l'avais pourtant posée en évidence dans l'entrée pour y penser...

Le visage de l'homme demeura impassible.

– Ça ne va pas être possible, mademoiselle, annonça-t-il avec le ton blasé de celui qui a déjà vécu ce genre de scène une centaine de fois.

Alexia tendit vers lui un minois adorablement mutin.

– Oh! Eh bien, je propose que vous m'autorisiez à monter. Votre collègue aura forcément mon nom sur sa liste, là-haut...

– Je n'ai pas de collègue. Il n'y a pas de liste, répondit l'homme d'un ton désespérément sérieux. Vous devriez remettre tout ça dans votre sac, ajouta-t-il en désignant le fatras étalé devant lui.

Alexia sentit une bouffée de colère l'envahir, mais elle la ravala aussitôt. Tandis qu'elle récupérait ses effets un à un sans se presser, l'homme fit entrer plusieurs couples qui dévisagèrent la jeune femme au passage. Il était visible qu'ils trouvaient ce spectacle inconvenant. Alexia eut soudain envie de quitter les lieux au plus vite. Mais une partie d'elle-même refusait de capituler aussi rapidement.

– Je vous souhaite une excellente soirée! lança-t-elle, très digne, à l'homme en noir, une fois qu'elle eut rassemblé ses affaires.

– Nous accueillons les invités pendant encore une demi-heure, crut-il alors bon de préciser. Vous avez peut-être le temps de retourner chez vous chercher votre... invitation.

Il avait prononcé le dernier mot avec une légère touche d'ironie, ne lui laissant aucune illusion : il avait parfaitement compris qu'elle n'avait jamais possédé le précieux sésame.

Elle décida néanmoins de tenter le tout pour le tout. Posant ses deux mains à plat sur le guéridon, elle se pencha vers l'inflexible garde-chiourme et susurra, les yeux mi-clos :

– Je constate que vous êtes très professionnel, et je vous en félicite. Vous appliquez les consignes à la lettre. Mais... ne serait-il pas possible d'envisager... comment dirais-je?... Une exception?

– Je regrette. Pour vous autoriser à entrer, je dois voir votre carton d'invitation.

Si j'en avais un, tu peux être sûr que je te le ferais avaler, crétin! songea Alexia dont le sourire devint imperceptiblement carnassier.

– Ce ne sera pas nécessaire, dit alors quelqu'un dans son dos. Mademoiselle est une amie.

Stupéfaite, Alexia se retourna.

Le jeune homme qui lui faisait face devait avoir à peu près le même âge qu'elle, ou à peine plus. Il était vêtu d'un jean et d'un simple tee-shirt blanc sur lequel il avait enfilé une veste noire qu'il portait ouverte. Son visage, sympathique, était mis en valeur par un hâle qui soulignait l'éclat de son regard. Sa barbe de trois jours et ses cheveux en bataille lui donnaient un air savamment négligé qu'Alexia trouva charmant.

Avec un naturel désarmant, l'inconnu lui prit le bras et l'entraîna vers l'escalier qu'ils gravirent ensemble sans se presser, à la façon d'un couple familier des lieux.

– Je trouve ces formalités ridicules ! chuchota le jeune homme à l'oreille d'Alexia.

Parvenus à l'étage, ils pénétrèrent dans la première d'une série de salles en enfilade dont le parquet de chêne grinçait sous les pas. Autour d'eux, des gens déambulaient, s'extasiant au passage sur les photographies qui ornaient les murs.

– Je vous laisse découvrir l'expo ! annonça alors l'inconnu en lâchant le bras de la jeune femme.

Il s'exprimait avec un léger accent qu'elle trouva irrésistible. Elle voulut lui répondre, mais il s'éclipsa pour rejoindre un groupe de personnes qui lui adressaient des grands signes.

Ouf ! souffla Alexia. *C'était chaud ! Je ne sais pas qui est ce garçon, mais il m'a sauvé la mise. Bon. Me voici dans la place. Sacré coup de chance ! J'ai cru que j'allais être obligée de trouver un plan B, du style forcer la serrure d'une entrée de service ou m'accrocher à la gouttière pour crapahuter jusqu'au balcon...*

Des essais de sonorisation interrompirent soudain les conversations. Les invités se tournèrent vers le fond de la salle. Un bel homme à la stature imposante venait de monter sur l'estrade. En le voyant, Alexia fut subjuguée par sa ressemblance avec George Clooney. Même charme, même classe, mêmes yeux rieurs, même sourire impeccable.

Waouh ! S'il avait dix ans de moins, je crois que je tenterais ma chance...

Il vint se placer devant le micro. Ne le tapota pas avec l'index avant de prendre la parole.

Assurance et décontraction, qui que ce soit, c'est un pro !

— Mes chers amis, en tant que président de la fondation, c'est pour moi un immense plaisir de vous voir réunis aujourd'hui...

L'homme balaya l'assistance du regard en hochant lentement la tête. Il semblait connaître chaque personne présente.

— ... car c'est grâce à vous que la Fondation Speruto a pu voir le jour. Sans votre générosité, nous ne serions pas là ce soir et je ne puis vous dire à quel point je suis heureux et fier de participer à l'inauguration de ce nouveau lieu dédié à l'art contemporain. Parce que la culture et la beauté sont la nourriture de l'âme, la Fondation, vous le savez, s'engage à leur accorder la place qu'elles méritent. C'est pourquoi nous tenons, pour commencer, à ce que ce lieu soit ouvert à un large public. Il est également indispensable qu'il donne aux artistes la possibilité de s'exprimer dans les meilleures conditions. La Fondation leur offrira donc à la fois un lieu d'exposition, cette magnifique galerie que vous découvrez ce soir, mais aussi des aides à la création, sous forme de bourses de résidence. Et je ne doute pas que le climat de notre belle région contribue à faire éclore leur génie. Voilà pourquoi, pour eux, pour nous, du fond du cœur, je vous dis merci !

Il y eut aussitôt un tonnerre d'applaudissements accompagné d'exclamations enthousiastes.

Voilà donc le fameux Zacharie Speruto, directeur du Seahorse Institute et maintenant président de la fondation qui porte son nom, songea Alexia. *Je dois reconnaître qu'il est plutôt canon pour son âge – il a... quoi, dans les cinquante ans ? Il a gardé la ligne. Une belle gueule. Et j'aime beaucoup sa voix. Elle donne envie de l'écouter, et il le sait. J'ai l'impression que quoi qu'il dise, son auditoire est captivé. En tout cas, ce type-là est habile. Il a beau jeu de flatter ses invités. D'après ce que Samantha m'a raconté, il est de loin le principal donateur de la Fondation. Un scientifique devenu mécène en quelque sorte. Doublé d'un talentueux orateur. Avec ce genre de discours, il est sûr de mettre les gens bien placés et les politiques dans sa poche. Mais il agit en finesse et ne garde pas les projecteurs braqués sur lui. Le voilà qui passe la parole au conseiller régional. Ensuite on aura droit au député maire. Je sens qu'on va se farcir une palanquée de discours mortels... Bon, je n'ai pas que ça à faire, moi ! Ne perdons pas de vue le principal : repérer la cible... Pour commencer, il faut que je trouve mon reporter préféré.*

Alexia pivota sur ses talons et examina attentivement les gens autour d'elle. Puis, l'air de rien, elle déambula au milieu des invités. Elle avait pratiquement traversé la salle dans sa largeur lorsqu'elle aperçut Vincent.

Agenouillé au pied de l'estrade, l'œil collé à son Nikon, il mitraillait invités, orateurs et poignées de main dont se délecteraient dès le lendemain les lecteurs de la presse quotidienne régionale.

Après un moment qui parut interminable à la jeune femme, Zacharie Speruto finit par donner le coup d'envoi du tant attendu « verre de l'amitié » et tout le monde se rua vers le buffet.

Elle en profita pour se faufiler jusqu'à son collègue qui, en la découvrant, émit un sifflement admiratif.

– Dis donc, t'es super sapée ! Je t'avais jamais vue comme ça...

– Salut, Vince. Ne rêve pas, c'est pas pour toi.

– Je m'en doute, ma chérie. Je sais que tu n'aimes pas les petits gros. Mais laisse-moi te rappeler qu'en l'occurrence tu commets sans doute la plus grave erreur de ta vie...

– Vincent ?

– Oui, ma belle ?

– On a *déjà* eu cette discussion.

Le journaliste éclata de rire, ce qui secoua son ventre rebondi.

– D'accord. Mais ça ne coûte rien d'essayer. Sans blague, t'as fait comment pour arriver jusqu'ici ?

– Je me suis débrouillée.

– Tu as sorti ta carte de presse ?

– Surtout pas, tu m'avais prévenue qu'ils ne laisseraient entrer que le type de *La Gazette* et toi.

– En effet. J'ai rarement vu un cercle d'invités aussi fermé.

– Mouais... Pour qui ils se prennent ? Le filtrage est plus serré qu'à l'Élysée !

Vincent eut un sourire malicieux.

– Je parie que tu les as eus au charme.

– Perdu, répondit Alexia tout en jetant des regards autour d'elle comme si elle cherchait quelqu'un. Bon, maintenant que je suis là, tu peux m'aider ? Rappelle-toi, tu m'as promis !

– Oui, oui, bougonna Vincent. Suis-moi.

Lui prenant la main, il plongea dans la foule des invités et se coula de groupe en groupe avec l'aisance d'un habitué des soirées mondaines.

Alexia observait ces gens agglutinés autour d'un plateau de petits fours qui discutaient debout, un verre à la main, en se donnant des airs importants. Dans toutes les soirées de ce genre, on avait l'impression de voir les mêmes personnes. Les hommes parlaient trop fort, les femmes étaient trop maquillées et trop parfumées, elle les trouvait ridicules.

– Voilà, on y est, annonça Vincent.

– J'hallucine ! Tu m'as amenée... au buffet ? lâcha Alexia avec un geste d'impatience.

– Je te rappelle que je travaille et que je n'ai encore rien avalé de la soirée. Je ne suis pas loin de l'hypoglycémie. J'espère que cette bande de rapaces n'a pas vidé tous les pains surprises.

Alexia soupira.

– OK, je ne voudrais pas avoir ta mort sur la conscience. Mais après, tu me montreras où est Qui-tu-sais. J'ignore à quoi il ressemble, alors j'ai besoin de toi. C'est très important. Je t'expliquerai...

– Hmm, hmm, opina Vincent en se contorsionnant pour ferrer un toast au saumon.

Ravi de sa prise, il l'enfourna en entier.

– Juste là, fit-il, la bouche pleine.

– Pardon ?!

– À deux heures.

Alexia se retourna et eut un choc.

– Quoi, derrière nous sur la droite, c'est *lui*, tu es sûr ?

– Absolument certain. Où est le problème ? Même si, à part moi, c'est le seul mec qui soit en jean dans cette baraque, je te garantis que c'est bien Sean Speruto, le fils de Zacharie Speruto. Maintenant, je ne sais pas ce que tu veux en faire, ajouta-t-il avec un sourire entendu, mais c'est à toi de jouer, ma belle...

– Ce n'est pas ce que tu crois, protesta Alexia avec agacement.

Se retournant plus discrètement cette fois, elle chercha Sean du regard. En grande conversation avec deux amateurs de photographie, le jeune homme était successivement pris à parti par l'un puis par l'autre. Ils voulaient visiblement connaître son avis sur les chances de survie de l'argentique face au raz-de-marée numérique. Apercevant soudain Alexia, Sean inclina la tête en souriant et lui adressa un petit signe.

– Il t'a repérée. Fonce ! lui souffla Vincent juste avant de retourner à la pêche au saumon.

Les joues soudain cramoisies, Alexia inspira à fond. Elle s'apprêtait à s'avancer vers le jeune homme lorsqu'elle entendit celui-ci annoncer à ses compagnons :

– Excusez-moi, j'ai quelqu'un à voir.

Il les planta littéralement sur place et fonça sur Alexia qu'il attrapa une nouvelle fois par le bras. Stupéfaite, elle se laissa conduire jusqu'à une porte-fenêtre. Sean l'ouvrit et ils se retrouvèrent sur un balcon, au milieu d'une collection de plantes exotiques.

– Ouf, de l'air ! Il était temps que vous arriviez ! lui dit-il. Ces types ne voulaient plus me lâcher ! Vous me cherchiez ?

– Je n'ai pas eu le temps de vous remercier tout à l'heure, fit Alexia, déconcertée.

– Vous venez de me tirer d'affaire. On est quittes ! répondit Sean en riant.

Mais il redevint aussitôt sérieux et plongea son regard dans celui de la jeune femme.

– Il y a une chose que je ne comprends pas... Depuis que vous êtes arrivée, vous n'avez pas regardé une seule photo, vous n'avez rien bu et rien mangé. Vous ne connaissez visiblement personne ici, à part ce journaliste. Alors dites-moi, pourquoi est-ce que vous teniez tant à assister à cette inauguration ?

7

Marin ouvrit les yeux.

Juste au-dessus de sa tête, le vent faisait clignoter une feuille d'un jaune éclatant en forme d'éventail.

Il se redressa en grimaçant. Il avait la sensation d'être passé sous un camion et une sale migraine pulsait au niveau de ses tempes.

Qu'est-ce que je fais là ?

Il resta un moment assis, le buste légèrement penché en avant, en appui sur ses bras tendus, les mains agrippées au bord du banc. Il regarda autour de lui et reconnut le parc municipal.

Il était seul.

La nuit tombait.

Marin se demanda quelle heure il pouvait être. Il fouilla dans ses poches. Plus de smartphone.

Merde ! Je me le suis fait piquer...

Il se leva, essaya de se repérer. Le banc lui était familier, c'était son préféré, mais où était passé le cèdre ?

À la place, il y avait un arbre qu'il ne connaissait pas, au pied duquel s'étalait un tapis de feuilles semblables à une colonie de papillons couleur d'or.

À quelques pas, Marin reconnut cependant l'allée qu'il avait l'habitude d'emprunter quand il venait flâner ici.

Je dois confondre, se dit-il.

Il essaya de se rappeler comment il était arrivé là. Tout ce dont il se souvenait, c'est qu'au lieu de rentrer chez lui après les cours il avait décidé d'aller se balader.

Mais ça, c'était en début d'après-midi. Qu'est-ce que j'ai fait pendant tout ce temps ?

Il éprouvait la désagréable impression d'avoir manqué un épisode, voire plusieurs. Il se sentait fatigué. Pourtant, il avait apparemment dormi. Combien de temps était-il resté allongé sur ce banc ? Et où était passé son sac contenant ses affaires pour le lycée ?

Envolé lui aussi. On dirait que j'ai fait une mauvaise rencontre, songea Marin en se massant la nuque. Elle était douloureuse et il avait un peu de mal à tourner la tête. Il frissonna. Brusquement, il n'eut qu'une envie, rentrer chez lui au plus vite, prendre une douche bien chaude et se glisser sous la couette. Il se leva, eut un léger vertige, qui s'estompa rapidement. Il remonta le col de son blouson, enfonça ses poings dans ses poches et se mit en route.

Il faisait maintenant pratiquement nuit. En ville, tous les réverbères étaient allumés. La lumière qu'ils diffusaient lui parut légèrement différente, un peu plus dorée peut-être... Marin pressa le pas. Après avoir longé le bassin du vieux port, il gagna un arrêt de bus et vérifia qu'il était desservi par la ligne 3.

Il se sentait incapable de rentrer à pied. Il alla s'asseoir sur l'un des sièges de l'abri et attendit, le dos appuyé à la paroi de verre. Une pensée désagréable lui traversa soudain l'esprit et il fouilla fébrilement chacune de ses poches.

C'était bien ce qu'il redoutait : quelqu'un les avait consciencieusement vidées. Il n'avait plus ni carte de bus ni portefeuille, pas la moindre pièce de monnaie, plus de téléphone et plus de clés. Galère totale. Il ne lui restait plus qu'à marcher. Épuisant rien que d'y songer. Et il en avait au moins pour vingt-cinq minutes.

Mais ce qui le faisait encore plus suer dans l'histoire, c'est que sa mère allait certainement piquer sa crise : « Où étais-tu ? Je me suis fait un sang d'encre ! Pourquoi tu n'as pas téléphoné ? » et patati, et patata... Ça le fatiguait d'avance.

Plongé dans ses pensées, il s'apprêtait à traverser la rue lorsqu'un puissant klaxon le fit sursauter. Il stoppa net et un bus passa en sifflant à moins d'un mètre de lui. Il ne l'avait absolument pas entendu arriver.

Perplexe, Marin le regarda s'éloigner. Son moteur était étonnamment discret et sa carrosserie n'avait pas l'aspect habituel. Sa ligne était plus aérodynamique et les couleurs étaient différentes, plus claires. Le logo de la compagnie avait changé, lui aussi. Mais Marin n'aurait su dire précisément en quoi.

Tiens ? Ils ont mis une nouvelle ligne en service... On dirait des bus électriques. Depuis quand ?

63

Marin se remit en route. Il opta pour l'itinéraire le plus court, coupant par les vieilles ruelles du centre ville. Le cou rentré dans les épaules, il marchait vite, les jambes raides, les yeux baissés, pressé d'arriver, ne prêtant attention à rien ni à personne. Dans sa tête, une phrase commençait à tourner en boucle.

Qu'est-ce que j'ai fichu, bon sang?

Vingt fois, il se repassa le film de sa matinée : son départ de la maison, sa colère contre sa famille, le lycée, la discussion avec Fred, les cours (mortels, comme d'habitude), la sortie à treize heures, l'envie de traîner un peu, le parc, un coup de téléphone... ou un message, il ne savait plus très bien.

À partir de là, ses souvenirs devenaient flous. Seules subsistaient des sensations assez étranges. Il y avait des images, des sons, le sentiment d'être dans un rêve ou d'être devenu un personnage de jeu vidéo. Tout cela n'avait pas de sens.

Est-ce que c'était ça, faire un bad trip? Marin n'avait jamais touché à la came. Juste un joint ou deux partagés dans des soirées, mais ça ne l'avait pas branché plus que ça. Quant aux pilules qui font rire, il ne voulait pas en entendre parler. Aucune envie de finir accro. Restait l'alcool. À une heure de l'après-midi? C'était peu probable.

Alors, quoi?

Tournant à droite à l'angle de la rue, Marin aperçut sa maison. Soulagé, il força l'allure, parcourant les derniers mètres en courant.

Il grimpa quatre à quatre les marches du perron avant de s'immobiliser brusquement devant la porte d'entrée. D'habitude, la lampe extérieure restait allumée tant que tous les membres de la famille n'étaient pas rentrés.

– Eh bien, on se sent attendu, ça fait plaisir! râla Marin.

N'ayant plus de clés, il appuya sur la sonnette. Derrière la partie vitrée de la porte, aucune lumière. Marin patienta presque une minute. Personne ne vint ouvrir. Il sonna de nouveau, deux coups appuyés cette fois. Sans résultat.

Où sont-ils passés? Ah, oui, papa est parti au Brésil, mais maman et Noémie devraient être là. Pourquoi est-ce qu'elles n'ouvrent pas?

Il se remit à sonner tout en frappant et en criant :

– Ohé, les filles! C'est Marin, j'ai perdu mes clés!

Rien.

Perplexe, Marin redescendit lentement l'escalier. Il avait encore la main sur la rampe en fer forgé lorsqu'il se trouva nez à nez avec un homme barbu qui le dévisagea avec méfiance. Marin ne l'avait jamais vu. Posant un pied sur la première marche, l'inconnu lui demanda :

– Vous cherchez quelqu'un?

– Non. J'ai juste oublié mes clés et apparemment il n'y a personne à la maison, répondit Marin. Et vous?

L'homme le regarda comme s'il venait de dire une incongruité.

– Si vous voulez bien me laisser passer, je rentre chez moi, jeune homme.

– Chez vous?! s'exclama Marin abasourdi, tandis que l'homme commençait à monter l'escalier.

– Oui, chez moi, c'est écrit là! répondit le barbu d'un ton agacé.

De l'index, il montrait à Marin un nom sur la boîte aux lettres fixée au mur.

M. et Mme Forestier

– Impossible ! C'est chez moi, ici !

– Vous devez faire erreur. Ne restez pas là, s'il vous plaît.

L'homme gravit les dernières marches, sortit un trousseau de clés de sa poche et entra précipitamment dans la maison. Aussitôt, Marin se rua derrière lui, se jeta contre la porte close et tambourina avec ses poings en hurlant :

– Laissez-moi entrer ! Vous êtes qui, d'abord ? C'est chez moi, ici, vous m'entendez ? Chez *moi* !!!

– Partez immédiatement ou j'appelle la police, lui répondit l'homme.

De rage, Marin donna un coup de pied dans la porte. Puis il dégringola l'escalier en criant :

– Non, mais c'est pas vrai, dites-moi que je rêve !

Reculant de quelques pas sur le trottoir, il examina la façade de la maison. Il n'y avait aucun doute possible. C'était *sa* maison, celle où il avait toujours vécu !

Où étaient sa mère et sa sœur ?

Et qui était ce barbu ?

Comment avait-il eu les clés ?

Et d'où sortait ce nom sur la boîte aux lettres ?

Je n'y comprends rien ! se répétait Marin en se tordant les mains. *Je fais quoi, moi, maintenant ? JE FAIS QUOI ?*

Il s'était mis à trembler des pieds à la tête et arpentait le trottoir dans un sens, puis dans l'autre, incapable de se résoudre à s'éloigner. Un peu plus loin, une porte claqua. Tournant la tête, Marin vit un homme sortir d'une maison voisine. Il tenait un chien en laisse. Sans doute la promenade du soir.

– S'il vous plaît, monsieur !

L'homme se retourna et regarda avec étonnement l'adolescent qui se précipitait vers lui.

– Oui ?

– Je cherche la famille Weiss, vous connaissez ?

L'homme au chien fronça les sourcils.

– Weiss... Vous êtes sûr qu'ils habitent cette rue ?

– Oui ! s'écria Marin. C'est cette maison, là ! Enfin, c'était...

– Attendez, je ne suis pas du quartier, mais ma mère pourra peut-être vous aider. Elle n'habite ici que depuis quelques mois, mais elle est au courant de tout. Vous avez cinq minutes ?

Marin hocha la tête. L'homme l'invita à le suivre et le fit entrer chez lui. Une femme âgée d'environ quatre-vingts ans ne tarda pas à les rejoindre et dévisagea Marin avec intérêt.

– Ce jeune homme aurait besoin d'un renseignement, l'informa son fils. La famille Weiss, tu connais ? Il dit qu'ils habitaient la maison qui se trouve un peu plus haut.

Une expression navrée se peignit aussitôt sur le visage de la vieille dame.

– Oh, oui, bien sûr... La boulangère m'a raconté. Des gens très aimables. Très discrets. Une famille unie. Quel malheur !

– Qu'est-ce qui s'est passé ? fit Marin, la gorge nouée.

– Oh, une triste histoire. Il y a à peu près un an de ça, les parents ont eu un accident de voiture. Morts sur le coup. Le garçon n'était pas avec eux, une chance, enfin si on veut...

Marin se sentit chanceler.

– Et... sa sœur ? demanda-t-il d'une voix blanche.

– Vous devez vous tromper. Le garçon était fils unique. Il a été confié à son oncle et sa tante, je crois. La maison a été mise en vente. Elle est restée vide pendant plusieurs mois. Finalement, ce sont monsieur et madame Forestier qui l'ont rachetée, des gens plutôt distants... Vous vous sentez bien, jeune homme ?

Marin n'entendit pas la dernière phrase. Un bourdonnement avait brusquement envahi ses oreilles et son cœur cognait comme un fou dans sa poitrine. Sa vue se brouilla et il eut tout juste le temps de se raccrocher au bras de l'homme avant de perdre connaissance.

8

Elle avait choisi d'avouer la vérité. Qu'est-ce qui avait pu lui passer par la tête ? Lorsqu'il lui avait demandé pourquoi elle tenait tant à assister à l'inauguration, elle avait répondu : « Pour vous voir. » C'était parfaitement stupide. Elle le savait, et pourtant, c'est ce qu'elle avait dit ! Elle que son esprit d'à propos n'abandonnait jamais, elle n'avait rien trouvé de mieux que cette réplique digne d'une mauvaise série télé. C'était consternant. À peine avait-elle prononcé ces trois mots ridicules que, déjà, elle s'en voulait à mort.

Ils étaient tous les deux seuls sur ce balcon, entourés d'oliviers, de phœnix et d'orangers, et elle songeait que pour se sortir de cette situation, il ne lui restait sans doute plus qu'à enjamber la balustrade et à se jeter dans le vide. Mais Sean avait éclaté de rire.

– Est-ce que les Françaises sont toutes comme ça ?

– Comment, comme ça ? avait maugréé Alexia.

– Menteuses, dragueuses, tricheuses et... flatteuses!
– On vous aura mal renseigné.
– Au contraire, il me semble que c'était en dessous de la vérité. Alors répondez-moi, vous êtes espionne, terroriste ou journaliste?

Alexia s'était mordu la lèvre. Après tout, au point où elle en était.

– Journaliste.
– Ah! On avance. Vous travaillez pour qui?
– Personne. Tout le monde. Je vends mes articles au plus offrant.
– Free lance, donc. Et vous vous intéressez à la photographie contemporaine?
– Pas le moins du monde.

Sean s'était remis à rire. Il semblait s'amuser vraiment beaucoup.

– Aux photographes, alors? Vous savez que les photos exposées sont de moi, au moins?
– Bien entendu.

Sean avait tranquillement sorti un paquet de cigarettes de sa poche. Il lui en avait proposé une, elle avait hésité, puis refusé. Il avait allumé la sienne après avoir craqué une allumette. Il avait secoué le bâtonnet pour l'éteindre, avant de le jeter dans un bac à fleurs. Il avait plissé les yeux en aspirant la première bouffée de tabac, puis avait rejeté la tête en arrière pour ne pas envoyer la fumée au visage d'Alexia.

– Si j'en crois ce que vous m'avez dit, ce ne sont pas les images qui vous intéressent, mais celui qui les a faites?

Les bras croisés et l'air faussement décontractée, Alexia l'observait avec attention, ne sachant sur quel pied danser.

– On peut voir ça comme ça.

– Laissez-moi deviner. Vous aimeriez écrire un article du genre « Quand la photographie américaine s'invite en France – Portrait d'un jeune artiste contemporain ».

– Vous n'êtes pas très doué pour les titres. Mais vous avez tout compris.

– Pourquoi m'avoir choisi ?

– Dans votre jolie petite liste de qualificatifs, vous avez oublié le principal.

– Qui est... ?

– Curieuse.

– Évidemment. Mais encore ?

Elle s'était reprise à temps. Elle n'allait tout de même pas lui révéler qu'elle l'avait approché pour obtenir des informations sur le Seahorse Institute ! Bien qu'ayant le sens de l'humour, il n'aurait certainement pas trouvé la plaisanterie à son goût.

– Un scientifique arrive dans notre ville et y installe un institut de recherches ou un laboratoire, je ne sais pas exactement. Puis il crée une fondation dédiée à l'art contemporain. Rapport entre les deux ? Pas évident. Il l'inaugure en exposant des photographies de son fils qui, justement, vient d'arriver en France. Je jette un coup d'œil sur Internet, je ne trouve pas trace d'un photographe répondant au nom de Sean Speruto. Est-ce que le riche papa tente de lancer son fils, artiste inconnu en galère ? Est-ce que le fils, artiste renommé connu aux USA sous un autre nom, décide de rendre service à son père qui vient d'ouvrir une galerie en lui prêtant des œuvres ? J'ai envie d'en savoir plus. Fin de l'histoire.

– Vous auriez dû être flic.

– Vous avez raison. Le type en bas m'aurait tout de suite laissée entrer. Mais en tant que flic, je n'aurais aucun motif d'être là. N'est-ce pas?
– Aucun, en effet.
– Évidemment.
Sean avait braqué sur elle un long regard pénétrant. Elle n'avait pas baissé les yeux.
– Et maintenant, qu'est-ce que vous allez faire? Appeler un gars de la sécurité? Me balancer à votre père? avait-elle demandé effrontément.
– On dirait presque que c'est ce que vous attendez.
– Je connais des façons plus agréables de terminer une soirée.
Sean avait de nouveau éclaté de rire. Puis, hochant la tête comme s'il voulait se convaincre de la réalité de la scène, il lui avait saisi le coude et l'avait pilotée jusqu'à la porte-fenêtre.
– J'ai une meilleure idée, je vais vous raccompagner en bas et vous allez gentiment rentrer chez vous.
Serrant les dents, elle avait traversé la galerie avec lui, redescendu l'escalier à son bras, était repassée devant le garde-chiourme en prenant soin de l'ignorer royalement et s'était retrouvée sur le trottoir, face à ce jeune homme qui lui souriait avec insolence.
– Merci beaucoup d'être venue. Et la prochaine fois, n'oubliez pas votre invitation!
Furieuse, elle avait tourné les talons sans se donner la peine de répondre.
À présent, elle était assise sur son lit, enveloppée dans un peignoir, douchée, démaquillée, décoiffée, dégrisée et rongeant son frein.
J'ai été lamentable sur toute la ligne. Maintenant, je suis grillée. Je peux dire adieu à mon scoop.

Elle attrapa son téléphone. Il fallait qu'elle parle à quelqu'un. Il était à peine onze heures. Noémie n'était sans doute pas couchée.

– Allô?

– Oh, Alex, ça me fait du bien de t'entendre! Je ne sais plus quoi faire. Mon frère a disparu...

– Qu'est-ce que tu dis???

– Marin n'est pas rentré après le lycée. On est super inquiètes. On a téléphoné à tous ses copains, maman a même appelé les hôpitaux, il n'est nulle part!

– Vous avez prévenu la police?

– C'est ce qu'on s'apprêtait à faire. Écoute, il faut que je te laisse.

– Noémie! Est-ce que je peux faire quelque chose pour vous? Tu veux que je vienne?

– Non. Oui. Je ne sais pas... Je te rappelle! À plus.

Consternée, Alexia demeura un moment immobile, les yeux dans le vague.

– Ben, il manquait plus que ça...

9

Il était près d'une heure du matin lorsque Sean
Speruto et son père quittèrent la Fondation. Le
chauffeur les attendait devant la porte et ils montèrent tous deux dans l'Alfa Romeo 159 gris anthra-
cite, Zacharie devant, son fils à l'arrière. Durant le
court trajet, ils n'échangèrent pas un mot, chacun
plongé dans ses pensées.

Il s'était écoulé moins d'un quart d'heure lorsque
le chauffeur actionna l'ouverture automatique du
haut portail de pur style 1930 dont la patine rouille
avait volontairement été conservée.

La voiture remonta l'allée qui conduisait à la
vaste maison Art déco qui accueillait désormais le
Seahorse Institute. Elle longea la large façade en
pierre aux lignes sobres et élégantes et le chauffeur
immobilisa la berline au pied de l'aile sud de l'établissement. C'est dans cette extension que Zacharie
Speruto avait installé ses appartements, séduit par

ses balcons en fer forgé et ses sols dont les carreaux de ciment évoquaient d'incroyables tapis colorés alliant courbes végétales et motifs floraux.

Dans cette demeure somptueuse et bien trop grande pour lui seul, il avait aménagé plusieurs chambres destinées à recevoir des amis, dont la plus belle était réservée à son fils. C'était une confortable suite décorée et meublée dans l'esprit des années 30, que Sean trouvait délicieusement ringarde, mais qui avait une vue imprenable sur le parc et, au-delà, sur l'océan.

– Quand tu te mets à la fenêtre et que tu regardes droit devant toi, n'oublie pas qu'il n'y a plus rien jusqu'à l'Amérique, fils, se plaisait à lui dire Zacharie.

Avant de monter se coucher, les deux hommes prirent un cognac dans le salon. Sean alla s'asseoir sur la banquette installée sous le bow-window. Le bras étendu sur le dossier, il contemplait le reflet de la lune qui habillait la masse sombre de la mer d'une mosaïque mouvante de fragments argentés. Décidément, il aimait ce paysage. Tout comme cet improbable décor dans lequel vivait aujourd'hui son père. Même s'il était à l'opposé de l'univers auquel Sean était habitué, chez lui, en Californie, il devait reconnaître que l'atmosphère de ce lieu possédait un charme auquel il était difficile de résister.

– La soirée a été plutôt réussie, qu'en penses-tu ? lui demanda Zacharie après avoir allumé un cigare.

– Rien à dire. C'était parfait.

– Sais-tu combien Phyllis a enregistré de ventes ?

– Aucune idée.

– Je crois que cela se monte à vingt mille euros rien que pour ce soir. Tes photographies ont été très appréciées.

Sean leva son verre.

– Magnifique! lança-t-il avec une gaieté forcée.

Son père ne s'y trompa pas.

– Eh bien, j'espérais davantage d'enthousiasme, déclara-t-il. Tu es déçu? Tu t'attendais à plus?

– Certainement pas! s'exclama Sean. Au contraire.

– Tu n'as pas l'air content. C'est pourtant un succès.

– Un succès pour qui? soupira son fils.

– Comment ça?

– Mes images n'y sont pas pour grand-chose, tu le sais très bien.

– Pourquoi dis-tu une absurdité pareille? s'offusqua Zacharie. Phyllis a été assaillie par les acheteurs jusqu'à la fin de la soirée!

– Cela montre que beaucoup de gens ont envie de te faire plaisir.

– Bien entendu, fit Zacharie avec agacement. Cela m'aurait étonné, aussi...

– En réalité, ce ne sont pas mes photos qu'ils ont achetées, ce sont tes bonnes grâces, insista Sean.

La main de son père effectua une série de moulinets.

– Si tu pouvais m'épargner le couplet « Je n'ai pas de talent, papa »...

– Aucun risque, je sais parfaitement que j'ai du talent! répliqua Sean, piqué au vif.

– Très bien. Alors qu'est-ce qui te pose problème?

– Je veux juste qu'on évite de se mentir sur ce qui s'est passé ce soir.

– Mais encore?

– Je suis prêt à parier que la majeure partie des acheteurs figure actuellement sur la liste d'attente pour une cure au Seahorse. Ou espère un geste de ta part quand viendra le moment de régler la note.

Zacharie se pinça l'arête du nez entre le pouce et l'index et poussa un profond soupir.

– Je vois! Je te félicite pour ta remarquable perspicacité!

– Ose prétendre que c'est faux!

Zacharie leva les mains dans un geste de reddition.

– D'accord! Tu as raison! Mais en partie seulement. Ils ont *réellement* apprécié ton travail. Et le plus important, c'est que cela va faire parler de toi. Cette exposition ne peut que donner de l'élan à ta carrière et je m'en réjouis.

Sean haussa les sourcils.

– C'est sympa de te préoccuper de mon avenir.

– Cesse donc de réagir comme un adolescent, tu veux? Je ne suis pas ton ennemi.

Sean ne répondit pas. Il faisait tourner son cognac entre ses doigts, observant les vagues de liquide ambré qui venaient lécher les parois galbées de son verre.

– Tu es à l'âge où il est bon de prendre son envol, reprit Zacharie. Tu as toute ta vie à construire. Je suis ton père, il est normal que j'essaie de t'aider.

Sean releva la tête.

– C'est très gentil de ta part, mais je te l'ai dit : je veux gagner ma vie par moi-même. Je ne peux plus accepter ton argent.

– C'est tout à ton honneur. J'ai réagi comme toi au même âge. Et j'ai énormément travaillé pour y arriver.

– Oui, je sais, soupira Sean. Tu as suivi l'exemple de ton père, tu es entré comme lui au MIT[1], tu t'es marié et tu es très vite devenu un jeune scientifique promis à un brillant avenir. Eh bien, désolé, mais moi, j'ai pris une autre voie. Ce qui ne signifie pas que je suis un fainéant pour autant. Chacun sa conception du travail !

Le regard de Zacharie fut traversé par un éclat qui avait la dureté de l'acier. Il maîtrisa cependant sa colère et parvint à conserver un ton modéré.

– C'est ton droit le plus strict. Rien ne t'obligeait à opter comme ton grand-père et moi pour une carrière scientifique. Tu as fait un autre choix...

– Oui, celui d'avoir un jour une famille et de lui consacrer du temps ! rétorqua Sean.

Nous y voilà ! songea Zacharie.

– On ne va pas revenir une fois de plus là-dessus, Sean. Tu sais très bien que mon travail était extrêmement prenant. Mais il me permettait de vous offrir une vie agréable, à ta mère et à toi. Elle n'a pas supporté que je ne sois pas plus présent à la maison. Pourtant, elle savait dès le départ que ça se passerait ainsi pendant quelques années. Je lui avais exposé mon projet et elle était d'accord !

– Et moi ? Est-ce que quelqu'un m'a demandé si j'étais d'accord ? D'accord pour avoir un père qui n'est jamais là ? D'accord pour que mes parents divorcent quand j'avais cinq ans ? D'accord pour que mon père reparte vivre en France et que je ne le voie plus qu'une fois par an ? Génial, le projet ! explosa Sean.

1. Le Massachusetts Institute of Technology, en français Institut de technologie du Massachusetts, est une institution de recherche et une université américaine (l'une des plus prestigieuses au monde) spécialisée dans les domaines de la science et de la technologie.

Zacharie se leva pour se servir un deuxième cognac et se mit à arpenter le salon, son verre à la main.

– Chacun de nous se bâtit un projet de vie, Sean. On poursuit tous un idéal auquel on s'accroche le plus longtemps possible. Jusqu'au jour où la réalité nous rattrape et où on se rend compte qu'il existe un autre chemin. Tu as raison, je n'étais pas fait pour être père. Et j'ai été un piètre mari. Je n'ai réussi à briller que dans le domaine professionnel. Aujourd'hui, j'aide des gens à se sentir mieux, à s'accepter ou même à guérir, et j'estime que je n'ai pas à rougir de ce que j'ai accompli.

– Eh bien, moi non plus ! Même si je ne suis qu'un artiste en mal de reconnaissance, n'imagine pas une seule seconde que j'en suis réduit à accepter un coup de main de mon père pour espérer décoller. Tu m'as proposé d'exposer dans ta galerie, j'ai accepté *pour toi*. Mais je n'attends rien. Si ça marche, tant mieux, sinon je ne m'obstinerai pas à faire un boulot qui ne rapporte rien. Je tenterai ma chance ailleurs. Et sans ton aide !

Zacharie prit place sur la banquette à côté de son fils et le regarda droit dans les yeux.

Une moitié de son visage était éclairée par l'unique lampe qu'il avait allumée dans la pièce, l'autre restait dans l'ombre.

L'arête de son nez marquait la frontière entre les deux zones, ce qui donnait à son visage une étrange dualité d'expression.

– Je n'en doute pas, fils. J'ai confiance en toi. Tu es quelqu'un de fier, c'est une qualité que j'apprécie, déclara-t-il de sa voix au timbre profond.

Une voix qui rassurait Sean lorsqu'il était enfant. Quand il l'entendait, il était convaincu que rien ne pourrait lui arriver. Que son père était le plus fort du monde. Qu'il pouvait baisser les armes...

Sean se leva.

– J'y vais. Je suis crevé.

– Bonne nuit, dit Zacharie avec une pointe de regret.

Il observa son fils de dos tandis qu'il traversait la pièce et attendit qu'il ait posé la main sur la poignée de la porte pour lui lancer :

– Je suis content que tu sois venu, tu sais.

Sean ne répondit pas et referma la porte derrière lui.

Au lieu de se coucher, il se changea, enfila ses chaussures de running et partit courir dans la nuit.

10

Le capitaine Calcavechia les reçut dans un bureau minuscule aux murs vert hôpital. L'éclairage au néon finissait de donner à la pièce une atmosphère sinistre. Les deux femmes, pâles et tendues, s'assirent en face du policier.

– Pour commencer, je vais être obligé de vous poser quelques questions, annonça-t-il en prenant de quoi noter.

Noémie et sa mère hochèrent la tête en silence.

– Il s'agit donc de Marin Weiss, dix-sept ans, élève de première au lycée Schrödinger, disparu depuis...

– Depuis hier samedi.

Assise sur le bord de sa chaise, les paumes jointes tenues entre ses genoux serrés, Audrey Weiss regardait le policier avec anxiété.

– Madame, quand avez-vous vu votre fils pour la dernière fois ?

– Hier matin, au petit-déjeuner, avant qu'il parte au lycée.

– Vous vous rappelez quelle heure il était?

– Huit heures et quelques. Ses cours ne commençaient qu'à neuf heures, il est parti un peu plus tôt que d'habitude.

– Il avait une raison particulière?

– Non... Enfin, je ne sais pas.

Le capitaine Calcavechia se tourna vers Noémie.

– Et vous, mademoiselle? Quand avez-vous vu Marin pour la dernière fois?

– Hier matin aussi. Je suis descendue prendre mon petit-déjeuner au moment où il s'en allait. On s'est juste croisés. Ensuite je suis partie travailler. Dans l'après-midi, ma mère m'a appelée à l'agence pour m'annoncer que mon frère n'était pas rentré déjeuner. Je lui ai conseillé de ne pas s'inquiéter. Je pensais qu'il nous faisait la tête, on connaît son sale caractère. J'ai dit à maman que si on commençait à s'angoisser, on entrait dans son jeu.

– Qu'est-ce qui l'avait contrarié?

Noémie et sa mère se regardèrent. Audrey soupira.

– Il était très en colère parce que j'avais refusé qu'il organise une fête avec ses copains à la maison pendant les vacances. Vous savez comment sont les ados...

– Je vois. Je suppose que vous étiez d'accord avec monsieur Weiss là-dessus?

– Mon mari travaille beaucoup. Il n'a pas le temps de s'occuper de ce genre de choses.

– Vous m'avez dit qu'il était absent pour quelques semaines, je crois?

– Oui, il est régisseur général sur des documentaires animaliers. Il est actuellement en tournage au Brésil et on ne pourra le joindre que la semaine prochaine.

– Il s'absente souvent pour son travail ?

– Il part trois ou quatre fois par an, généralement pour d'assez longues périodes. Mais je ne vois pas en quoi...

Le policier balaya la question d'un revers de main.

– Qu'est-ce qui vous fait croire que Marin était « très en colère » ?

Audrey et sa fille échangèrent un regard embarrassé.

– Il est parti en claquant la porte, précisa Audrey.

– C'est tout ? Vous êtes sûres qu'il n'a rien dit de particulier ?

Audrey baissa les yeux. Ses paupières eurent deux ou trois battements accélérés.

– Si.

– Il ne le pensait pas ! intervint Noémie.

– Je peux savoir de quoi il s'agit ? insista le policier. Dans le cas d'une disparition, le moindre détail est important, vous savez.

– Quand on fait sa crise d'adolescence, on devient capable de dire les pires horreurs à sa famille, et aussitôt après, on le regrette, reprit Noémie.

– Madame Weiss ?

– « Il y a des moments où j'aimerais être fils unique et orphelin », répondit Audrey d'une voix blanche.

Le capitaine n'émit aucun commentaire. Il se contenta de noter scrupuleusement la phrase et enchaîna d'un ton neutre :

– Savez-vous si Marin a une petite amie, des problèmes de cœur ?

Les deux femmes secouèrent négativement la tête.

– Il est très secret. Il ne nous parle pas de sa vie intime.

– Qu'il ne se confie pas à ses parents, ça se comprend. Mais à vous, sa sœur?

– Non. Pour lui, je fais partie du clan des adultes. Il y a longtemps qu'il ne me dit plus rien.

– Bon. Je vais vous poser une question un peu plus délicate... Madame Weiss, avez-vous des raisons de penser que votre fils consomme de la drogue?

– Quoi? Mais non, absolument pas! Ça ne lui ressemblerait pas du tout!

– Mademoiselle?

– Mon frère a beaucoup de défauts, mais pas celui-là. J'en suis certaine.

– Bien. Pas de problème au lycée avec un professeur ou un camarade?

– Non. Pas à ma connaissance.

– Pas de souci de santé?

– Aucun.

– Pouvez-vous m'indiquer comment il était habillé au moment de sa disparition?

Audrey essaya de se remémorer la tenue que portait son fils la veille.

– Un jean noir... C'est facile, il ne porte que ça. Une chemise, je crois. Et un blouson en cuir. Marron. Usé. Je veux dire, râpé. Ils les vendent comme ça, maintenant, il paraît que c'est la mode.

– Auriez-vous une photo de votre fils?

Noémie ouvrit son sac.

– Je vous en ai apporté plusieurs, comme vous me l'avez demandé quand je vous ai appelé. Elles ont été prises cet été. On n'en a pas de plus récentes.

Le policier prit les photographies et les examina.

– Ça ira très bien. Je vous remercie. Et la liste de ses amis les plus proches?

– La voici.

– C'est parfait.

Il se leva et rassembla les documents posés sur son bureau.

– Bien. Vous pouvez rentrer chez vous.

– Comment... C'est tout ? s'étonna Audrey.

– Nous allons envoyer un équipage faire une enquête de voisinage sur le parcours qu'a emprunté Marin. Mes collègues s'assureront également qu'il a bien assisté aux cours et vérifieront à quelle heure il a quitté le lycée. Le but est de trouver d'éventuels témoins qui nous permettraient de déterminer l'endroit exact où votre fils a disparu. Nous vous tiendrons au courant. En attendant, si vous aviez la moindre information ou s'il vous revenait un détail susceptible de faire progresser l'enquête, n'hésitez pas, dit le capitaine en lui tendant sa carte. Tâchez de ne pas trop vous inquiéter. Il est possible que Marin ait fugué pour vous faire payer votre refus. Si c'est le cas, il sera rentré à la maison avant la fin du week-end.

Noémie et sa mère quittèrent le commissariat sans un mot. Toutes deux avaient la même conviction et le même pressentiment : Marin n'avait pas fugué.

Non. Il lui était forcément arrivé quelque chose.

11

– **V**ous vous sentez mieux ?

L'homme avait transporté Marin jusqu'au canapé du salon et sa mère tamponnait le front du garçon avec un linge humide.

– Oui, oui... Je suis désolé...

– Vous voulez qu'on appelle un médecin ?

– Non, ça va aller !

Marin se mit debout. Il eut de nouveau un vertige.

– Vous êtes sûr ? Vous êtes vraiment très pâle, dit l'homme.

– Ça va passer... Bon, je dois vous laisser.

– Attendez ! Ne partez pas si vite. Je suis certaine que vous avez le ventre vide ! s'exclama la vieille dame en filant à la cuisine.

Elle revint avec un sachet de biscuits, une banane et une petite bouteille d'eau qu'elle glissa dans un sac avant de le tendre à Marin.

– Merci beaucoup, murmura-t-il, embarrassé.

Il se dirigea vers la porte d'entrée puis, après une brève hésitation, il demanda :

– Vous avez dit que le garçon avait été recueilli par son oncle et sa tante ?

– Vous parlez du jeune Weiss ? Vous êtes de la famille ?

– Si on veut...

– Dans ce cas, vous les connaissez sûrement, monsieur et madame Lenoir.

Marin hocha la tête.

– Je ne vais pas vous déranger plus longtemps. Je vous remercie. Bonsoir...

Marin se hâta de regagner la rue. Parmi les informations ahurissantes que lui avait fournies la vieille femme figurait au moins une donnée connue à laquelle il pouvait se raccrocher : il avait bien un oncle et une tante répondant au nom de Lenoir. Il s'agissait de Carole et Thierry, la sœur de sa mère et son mari. Le problème, c'est qu'ils habitaient à l'autre bout de la ville. Peu importe. Il fallait qu'il les voie. Ils pourraient certainement l'aider.

Tout en marchant en direction du centre ville, il dévora la banane, avala les quatre biscuits à la file et but tout le contenu de la bouteille. Il sentit ses forces revenir et accéléra l'allure.

Moins de vingt minutes plus tard, il arrivait à proximité de la gare, reconnaissable à son campanile en pierre blanche surmonté d'un dôme couvert d'ardoise. Devant la station de taxis, un véhicule attendait, moteur éteint.

Le cœur battant, Marin s'engouffra à l'intérieur.

– Au 21, place de Verdun, s'il vous plaît !

Le chauffeur lui jeta un regard dans le rétroviseur.

– Pas de bagages ?

– Malheureusement non, répondit Marin. Plus de bagages. On me les a volés.

– Pas de chance.

– Comme vous dites.

– Vous voulez que je fasse un détour par le poste de police ?

– Non. Je verrai ça demain. Je suis pressé.

– Alors, c'est parti, fit l'homme en démarrant.

Marin se renversa contre le dossier de la banquette arrière. La voiture était silencieuse, bien chauffée et confortable. Le poids qu'il avait sur la poitrine s'allégea un peu et il commença à respirer plus librement. Le chauffeur monta le volume de l'autoradio.

... And if your head explodes with dark forbodings too I'll see you on the dark side of the moon[1].

Pink Floyd, « Brain Damage ». Une chanson extraite de l'album *The Dark Side Of The Moon*. Planant à souhait. Un des morceaux préférés de son père.

Marin n'était pas certain que c'était ce qu'il avait besoin d'entendre à ce moment-là, mais insensiblement ses muscles commencèrent à se détendre et son angoisse reflua. Il se dit qu'il y avait *forcément* une explication. Qu'il n'allait pas tarder à comprendre ce qui se passait. Qu'il ne s'agissait que d'un malheureux concours de circonstances...

1. *Et si en plus de sombres pressentiments te font exploser la tête, Je te retrouverai sur la face cachée de la lune* (traduction : Jean-Paul Gratias). Pink Floyd, *Brain Damage*, © Roger Waters/Warner Chappell Music France, 1973.

Lorsque la voiture stoppa devant le numéro 21, le chauffeur annonça :

— On y est. Ça fera six écus.

— Pardon ??? Six quoi ?

— Dites donc, vous m'avez l'air d'arriver de loin, vous.

— Peut-être, murmura Marin, soudain perdu.

— Eh bien, je ne sais pas combien coûte une course chez vous, mais dans la Principauté, pour aller de la gare à la place de Verdun, c'est six écus.

— La Princip... Mais, on est bien à La Roche d'Aulnay ?

— Évidemment ! Où voulez-vous qu'on soit ?

— Oui, oui, bien sûr. Excusez-moi, j'avais oublié. Je ne viens pas souvent.

— Vous avez de quoi payer, j'espère ? s'avisa le chauffeur, soudain soupçonneux.

— Je reviens tout de suite ! lui cria Marin en jaillissant hors de la voiture.

— Hé !

L'homme ouvrit sa portière à la volée, mit le pied gauche sur le trottoir et s'extirpa de son taxi pour voir où s'en allait son client. Ce gamin n'avait pas intérêt à l'entourlouper.

La porte de la maison s'ouvrit au premier coup de sonnette et Carole Lenoir apparut. En découvrant son neveu face à elle, elle ne put s'empêcher de pousser un cri. Elle se jeta contre lui, le prit dans ses bras et le serra à l'étouffer.

— Mon Dieu, Marin, c'est toi ! C'est bien toi... Thierry ! Thierry, viens vite !

Son mari la rejoignit et, en découvrant Marin sur le seuil, il le prit à son tour dans ses bras. Comme elle, il paraissait bouleversé.

– Te voilà enfin, mon grand. On a eu tellement peur! Ta tante était morte d'inquiétude.

– Comment vous avez su? C'est maman et Noémie qui vous ont prévenus? interrogea Marin.

– Mon pauvre petit! s'écria sa tante en réprimant un sanglot.

– Ne reste pas là, dit Thierry Lenoir. Rentre vite à la maison!

Abasourdi, Marin se dégagea de leur étreinte. D'un mouvement du pouce, il désigna le taxi garé dans la rue derrière lui.

– Heu, si ça ne vous dérange pas, il faudrait payer le monsieur...

Ils commencèrent par lui donner à manger, lui posèrent une couverture sur les épaules, voulurent lui faire prendre de l'aspirine, s'affairant autour de lui avec une sollicitude envahissante, jusqu'au moment où il craqua.

– STOP! cria-t-il en tendant les bras face à lui, paumes ouvertes, doigts écartés.

Ils le regardèrent avec consternation. Marin inspira profondément et passa ses mains dans ses cheveux. D'habitude, cela l'aidait à se calmer.

– Je vais bien, reprit-il d'une voix plus douce. Arrêtez de vous inquiéter.

Son oncle afficha une mine contrite.

– Pardonne-nous. Depuis huit jours on se fait un sang d'encre. Qu'est-ce qui t'est arrivé?

– Huit jours?

– Eh bien, oui. Tu n'es pas rentré depuis mardi dernier. On a cru...

– Quel jour on est ?

– Nous sommes mercredi, comme ton oncle vient de te le dire.

Marin prit sa tête entre ses mains. Mercredi... Non, c'était impossible. On était samedi soir, il le savait bien.

– Quand on a vu que tu ne rentrais pas du lycée, on t'a cherché partout et on a prévenu la police. Après une semaine d'enquête, ils n'ont rien trouvé. On imaginait le pire. Qu'est-ce qui s'est passé, Marin ?

Il les dévisagea l'un après l'autre. Il ne comprenait absolument rien à ce qu'ils lui racontaient. Il poussa un profond soupir et finit par demander d'une voix rauque :

– Qu'est-ce que je fais ici ? Où sont mes parents ? Et ma sœur ? Répondez-moi ! Où sont-ils ?

Mme Lenoir blêmit et plaqua sa main contre sa bouche, comme pour s'empêcher de crier. Son mari se pencha vers Marin et lui prit l'épaule avec sollicitude.

– Tu as besoin de te reposer. Je pense que tu as subi un choc. Tu nous raconteras tout ça demain...

Marin se dégagea avec violence.

– Mais vous allez me répondre, à la fin ! OÙ EST MA FAMILLE ? hurla-t-il en détachant les syllabes du dernier mot.

Sa tante éclata en sanglots et quitta la pièce précipitamment. Thierry Lenoir planta son regard dans celui de son neveu.

– Qu'est-ce qui te prend, Marin ? Tu vois dans quel état ça la met !

Marin s'était remis à trembler de tous ses membres.

– Je suis allé à la maison. Où sont ma sœur et mes parents? répéta-t-il, la mâchoire crispée.

– Mais enfin, tu n'as jamais eu de sœur! Et tes parents sont morts l'année dernière, ne fais pas comme si tu ne le savais pas! explosa son oncle. Qu'est-ce que tu veux, bon sang? On ne s'est pas convenablement occupés de toi depuis le drame? Est-ce qu'on n'a pas été là à chaque instant? Qu'est-ce que tu serais devenu sans nous, te l'es-tu demandé ne serait-ce qu'une seconde?

– Menteurs! cria Marin en se levant. Vous n'êtes tous que des menteurs!

Il bondit sur ses pieds, sortit en trombe du salon, remonta le couloir, entra dans une pièce, referma la porte à clé derrière lui, se jeta sur le lit, envoya l'oreiller valdinguer à travers la chambre... et s'immobilisa brutalement, regardant avec stupeur ce qui l'entourait. Des posters aux murs, ceux de son groupe préféré, un bureau, des affaires de classe, *ses* affaires, tout ce qui était là lui appartenait.

C'était *sa* chambre.

Impossible. Il n'avait jamais habité dans cette maison. Et pourtant...

Il se leva et avisa le sac de classe qui gisait au pied du bureau. Pas de doute, c'était le sien. Que diable faisait-il ici? Fébrile, Marin l'attrapa, l'ouvrit et le fouilla consciencieusement. Il était vide.

Je suis en train de devenir fou. Qu'est-ce qui m'arrive? Pitié... Aidez-moi! Je vous en supplie, faites que ça s'arrête...

Avec des gestes d'automate, Marin alla récupérer l'oreiller qui gisait sur le sol. Il le plaqua contre sa poitrine et l'étreignit violemment.

Sentant ses forces l'abandonner, il fléchit les genoux, son dos glissa le long du mur et il s'accroupit sur la moquette. Recroquevillé dans un angle de la pièce comme un enfant terrorisé qui attend l'inéluctable venue de l'ogre, il ferma les yeux et laissa enfin les larmes couler sans retenue.

II

– *Allô ? Ici Patrouilleur 9.*

– *Proteus. Je vous écoute, Patrouilleur 9.*

– *Le sujet 1 d'Orphans Project est arrivé à destination. Il a suivi l'itinéraire prévu.*

– *Très bien. Vous avez vérifié l'activation de la puce ?*

– *Affirmatif. Elle envoie correctement les informations au timbre transdermique.*

– *Vous avez pu capter les données transmises par le tatouage ?*

– *Oui. Mais je dois vous avertir qu'elles sont supérieures au pronostic, la fréquence des ondes indique que le sujet est en stress de niveau 4.*

– *Trop élevé. Ne relâchez pas la surveillance. S'il dépasse le niveau 4, vous le déconnectez. Compris, Patrouilleur 9 ?*

– *Entendu. Je fais le nécessaire et vous tiens au courant.*

– *Je compte sur vous. Je vous rappelle que le sujet 1 est un élément déterminant dans la réussite du Projet...*

12

Tip! Tip! Tip! Tip!
Dans un demi-sommeil, Marin tendit le bras. Il n'existait rien au monde qu'il détestât autant que la sonnerie du réveil. Sans ouvrir les yeux, il appuya sur le bouton qui stoppait l'alarme. Il commença à s'étirer avec paresse. Et brutalement, tout lui revint.

Le cœur battant, il se redressa sur un coude et regarda autour de lui. Non, ce n'était pas un cauchemar, c'était la *réalité*!

Dans le petit jour que filtraient les rideaux tirés, il reconnut une chambre qui était la sienne sans l'être. Il se souvenait que son oncle et sa tante avaient fait de cette pièce une chambre d'appoint, froide et impersonnelle. Lorsque Marin était petit, il venait quelquefois y jouer après les repas de famille. Il n'y avait jamais dormi.

Sa chambre à lui se trouvait ailleurs, dans une autre maison...

Et pourtant, même s'il avait du mal à se l'avouer, il ne se sentait pas totalement étranger ici. Les meubles, les objets, la décoration, lui étaient inexplicablement familiers. Et il avait dormi comme une souche dans ce lit dont les draps étaient imprégnés de son odeur. Que signifiait tout cela ?

Il ramassa ses vêtements qui traînaient en vrac sur le sol et les enfila en hâte. Leur contact le rasséréna un peu. Il examina alors plus attentivement la pièce dans laquelle il se trouvait.

Trop bouleversé la veille au soir, il n'avait pas songé à chercher autour de lui des éléments susceptibles de l'aider à comprendre ce qui lui arrivait. Il alla s'asseoir sur le siège de bureau. Sous ses yeux s'étalait le fatras habituel qui mêlait affaires de classe et objets divers.

Un détail le frappa soudain : l'ordinateur manquait. Un espace dégagé au milieu du fouillis semblait cependant indiquer qu'il y en avait eu un à cet endroit.

Marin tâcha de se concentrer sur le peu d'informations dont il disposait.

D'après la vieille voisine, mes parents seraient morts dans un accident l'année dernière. Se pourrait-il que j'aie fait un bond dans le temps ? Ou que j'aie été plongé dans une sorte d'état second qui m'aurait rendu partiellement amnésique ? Plusieurs mois se seraient écoulés depuis ce fameux samedi où je suis parti en claquant la porte ? Non, ce serait complètement dingue...

Soudain, il se leva et bondit jusqu'à la table de nuit sur laquelle était posé le réveil à affichage digital. Comme il l'espérait, l'appareil donnait également la date.

En appuyant sur le bouton approprié, il constata que ni le mois ni l'année n'avaient changé. En revanche, on était jeudi 26 octobre, et non dimanche 22. Il y avait donc bien un trou dans son emploi du temps, mais il était beaucoup moins spectaculaire que celui auquel il s'attendait. Comment sa vie avait-elle pu être à ce point bouleversée en seulement quatre jours ? C'était incompréhensible.

Marin s'efforça de se concentrer, mais il ne parvenait pas à déceler la moindre amorce d'explication. Les éléments dont il disposait ne s'ajustaient pas entre eux.

Y verrait-il plus clair en en parlant avec ceux qui l'avaient paraît-il *recueilli* ?

Il quitta la chambre et se rendit à la cuisine. Dos à la porte, une femme assez grande et très mince discutait à voix basse avec sa tante. D'allure sportive, presque militaire, elle était entièrement vêtue de noir : pantalon, rangers, blouson.

– Ah, le voilà, s'exclama Carole. Entre, Marin. Le café est prêt.

L'inconnue se tourna lentement vers lui. En découvrant les traits de son visage, Marin n'en crut pas ses yeux.

– Alexia ?

Ça alors ! Qu'est-ce qu'elle fait ici ?

– Alexandra, corrigea-t-elle, l'air intriguée. Tu y étais presque. Je vois que tu es un bon *percipient...*

– Pardon ?

De quoi elle me parle ?

– Vous vous connaissez ? s'étonna Carole.

– Désolée, je ne crois pas, fit la jeune femme.

Mais si ! Moi, je te connais. Pourquoi tu es déguisée comme ça ?

101

Il l'examina des pieds à la tête. La même chevelure flamboyante, les mêmes grands yeux gris en
amande. Son blouson arborait un écusson de forme
ronde qui n'était pas sans rappeler celui du FBI. Trois
lettres jaunes s'y détachaient sur un fond noir : BPI.

Qu'est-ce que c'est que ça, encore ?

– Je suis l'agent Ribeiro, du Bureau Principal
d'Investigation, se présenta la jeune femme.

Du menton, elle désigna la chaise vide en face de
lui.

– Je peux ?

Marin opina et ils prirent place tous les deux à la
table de la cuisine.

– L'agent Ribeiro est chargée d'enquêter sur les
disparitions d'adolescents, expliqua Carole. C'est elle
qui a travaillé sur ton dossier. Je l'ai contactée hier
soir pour la prévenir que tu étais revenu. Mais nous
avons estimé qu'il était préférable que tu te reposes
avant tout.

Avec des gestes lents, Marin se versa un grand bol
de café noir, puis se coupa un morceau de pain qu'il
couvrit de confiture. Tout ce qui arrivait lui semblait
tellement dément qu'il avait décidé de se raccrocher
au tangible, au concret.

Il commença à manger en s'efforçant d'avoir l'air
naturel, mais il ressentait une méchante crispation
au creux du ventre.

– Ribeiro, c'est *réellement* ton... votre nom ? eut-il
l'audace de demander.

L'enquêtrice se rembrunit imperceptiblement.

– Celui de mon mari. Pourquoi ?

– Pour rien. Je dois confondre.

Alex mariée ? C'est n'importe quoi...

Il connaissait suffisamment bien la meilleure amie de sa sœur pour savoir que les projets de mariage et elle, ça faisait deux.

Cette nana doit être un sosie. Elles se ressemblent comme deux gouttes d'eau, j'arrive pas à y croire.

– Je suis contente de constater que tu vas bien, déclara la jeune femme.

– Pas de souci, je suis OK, répondit Marin en gardant les yeux fixés sur l'alliance qu'elle portait au doigt.

– Cela va sans doute t'ennuyer, mais je suis obligée de te poser quelques questions. Nous t'avons cherché pendant plusieurs jours, ta famille s'est inquiétée, nous aimerions comprendre ce qui s'est passé, poursuivit l'agent du BPI d'une voix douce, mais ferme.

Marin soupira, posa son bol et s'appuya au dossier de sa chaise.

– Écoutez, j'aimerais vous aider, mais je n'en sais pas plus que vous. Je ne me souviens pratiquement de rien. En sortant de cours, j'ai vu qu'il faisait beau, j'ai décidé de me balader un peu. Je suis allé au parc et c'est là que je me suis réveillé, je ne sais pas combien de temps après. Je suis incapable de vous dire ce qui s'est passé entre les deux. Il faisait nuit. Je ne me sentais pas très bien. On m'avait volé mes affaires. Je suis rentré chez moi, on m'a dit que ce n'était plus chez moi, alors je suis venu ici... Je... je ne comprends pas grand-chose à tout ça.

Il mordit sa lèvre inférieure qui tremblait.

– Bien. Quand tu es sorti du lycée, tu as donc décidé d'aller te promener au lieu de rentrer directement. Tu te souviens du jour et de l'heure ?

– C'était samedi. Les cours se terminent à treize heures, donc il devait être environ treize heures vingt quand je me suis retrouvé au parc.

– Tu en es sûr ?

– Évidemment ! J'ai pensé que je pouvais traîner un peu, vu que c'était le début des vacances. C'est pas un crime, si ?

– Non. Bien sûr que non, répondit la jeune femme avec un geste d'apaisement.

Elle échangea un rapide regard avec Carole. Celle-ci avait posé une main à plat sur son cœur, comme pour faire refluer une émotion trop vive.

– Du jus d'orange ? demanda l'enquêtrice en s'emparant de la bouteille sur la table.

Marin secoua la tête, le visage fermé.

– Lorsque tu as repris connaissance, tu t'es aperçu qu'il te manquait des affaires. Peux-tu me dire précisément ce qu'on t'a volé ?

Marin repensa à son sac. Comment avait-il atterri dans la maison ? Fallait-il en parler ? Il décida que non. Du moins pour le moment.

– C'était comme si on m'avait fait les poches, commença-t-il lentement. Je n'avais plus de clés, plus de carte de bus, plus de téléphone, plus d'argent non plus – j'avais à peu près vingt euros dans mon portefeuille – alors je suis rentré chez moi à pied...

L'agent Ribeiro haussa les sourcils.

– Ton oncle et ta tante m'ont pourtant certifié que tu étais arrivé en taxi.

Les traits de Marin se crispèrent et son visage devint très pâle.

– Je vous dis que je suis d'abord rentré *chez moi*. Ce n'est qu'après que je suis venu ici.

– D'accord. Et que voulais-tu faire, en allant
là-bas ?

Marin la dévisagea comme si elle avait perdu
l'esprit.

– Ce que tout le monde fait tous les soirs, retrouver sa maison et sa famille !

Sa voix dérapa et ses yeux se remplirent soudain
de larmes. L'enquêtrice le regarda avec compassion.

– Et les choses ne se sont pas passées comme tu
l'espérais ? demanda-t-elle.

– Non ! s'écria Marin. C'est là que ça a commencé
à devenir n'importe quoi. S'il vous plaît, est-ce qu'on
pourrait m'expliquer...

Il planta ses coudes sur la table et passa plusieurs
fois ses paumes sur son visage pour tenter de se res-
saisir. Carole vint s'asseoir à ses côtés et posa une
main légère sur son avant-bras. La policière l'interrogea du regard avant de poursuivre.

– Marin, nous sommes là pour t'aider. Nous ne
savons pas exactement ce qui t'arrive, mais tu dois
nous faire confiance.

Le garçon se redressa et demanda avec une moue
de défi :

– Vous faire confiance ? D'accord ! Alors à votre
tour de me répondre : Noémie Weiss, vous la
connaissez ?

L'enquêtrice fronça brièvement les sourcils.

– Non, désolée. C'est quelqu'un de ta famille ?

– C'est ma sœur ! s'emporta Marin. Et sa meilleure amie s'appelle Alexia ! D'ailleurs, elle vous ressemble beaucoup. Curieuse coïncidence, vous ne
trouvez pas ?

– Il recommence ! gémit Carole, l'air accablée.

– Nous savons tous que tu n'as pas de sœur, répliqua l'agent Ribeiro d'un ton sec. Et je ne connais aucune Noémie Weiss.

– Vous croyez que je suis un menteur, c'est ça? s'insurgea le garçon.

– Absolument pas, répondit son interlocutrice avec calme. Seulement, vois-tu, nous avons un problème. Certaines choses ne collent pas.

– Ah! Vous avez remarqué, vous aussi?

– Pour commencer, ton oncle et ta tante ont constaté ta disparition mardi dernier en fin de journée, et non samedi.

– Non, ce n'est pas possible, je suis sûr de ça, balbutia Marin en secouant obstinément la tête.

– Marin, les élèves ne vont pas au lycée le samedi. Il n'y a pas de vacances à cette époque de l'année. Notre monnaie est l'écu et non l'euro. Les transports en commun sont gratuits dans la ville depuis plus de dix ans, et il y a longtemps que plus personne n'utilise de *téléphone*...

Marin ouvrit de grands yeux effarés.

– Je ne comprends rien à ce que vous racontez, murmura-t-il, accablé. Je suis devenu fou, c'est ça?

– Je ne crois pas, répondit la policière. Tu as visiblement subi un choc important qui t'a déconnecté de la réalité. Mais je connais quelqu'un qui pourra sans doute t'aider...

Elle sortit un calepin et un stylo de sa poche et griffonna un nom sur un bout de papier qu'elle tendit à Carole.

– Il serait préférable que Marin le voie rapidement. N'hésitez pas à lui dire que vous le contactez de ma part.

Elle se leva.

– Une dernière chose, ajouta-t-elle en s'adressant à Marin. As-tu mal quelque part? As-tu constaté des traces de coups?

– Non... Je ne sais pas. Je n'ai rien remarqué. Je me sens juste fatigué.

– Bon. Si tu découvres des ecchymoses ou quoi que ce soit d'autre, n'hésite pas à me le signaler.

Elle lui tendit sa carte.

– Vous pensez que j'ai été enlevé?

La jeune femme acquiesça.

– C'est possible.

– Mais pourquoi? Pourquoi moi? Et pourquoi m'avoir relâché ensuite? Et qu'est-ce qu'on m'a fait? demanda Marin avec anxiété.

– Mon boulot consiste précisément à trouver les réponses à ces questions, déclara l'agent Ribeiro. Et j'y arriverai, je te le garantis.

13

Alexia prit place sur le canapé du salon.

– ... donc vous n'avez toujours aucune nouvelle ?

– Aucune, répondit Noémie d'une voix altérée par le manque de sommeil.

– Tu as une petite mine. Et ta mère, elle tient le coup ?

– Elle est en haut, elle se repose.

– Elle a réussi à joindre ton père ?

– Pas encore. Elle a appelé sa boîte de prod, ils ont confirmé que l'équipe était injoignable pour le moment. Il faut attendre que mon père se manifeste.

– Pff ! Quelle angoisse...

– Il finira bien par appeler, mais je doute qu'il puisse rentrer.

– Ah bon ? C'est tout de même un cas de force majeure !

– La production a laissé entendre qu'on ne pouvait absolument pas se passer de lui pendant le tournage.

– N'est-il pas possible d'envoyer quelqu'un pour le remplacer ?

– C'est ce qu'on espère. J'ai préparé du thé, ça te tente ?

– Bonne idée. Où en sont les recherches ?

Noémie remplit deux mugs d'Earl Grey fumant et en tendit un à son amie.

– Un message a été passé aux véhicules de police qui patrouillent, la photo de Marin a été distribuée à chaque équipage. Mais ça n'a rien donné.

– Ils ont vérifié s'il était bien en cours samedi matin ?

– Oui, il est allé au lycée normalement. C'est juste après qu'on perd sa trace. On sait seulement qu'il a essayé de joindre son copain Fred au téléphone aux alentours de treize heures quinze. Mais il n'a pas laissé de message. Fred pense qu'il est possible que son appel ait un rapport avec leur projet de fête. Que Marin avait peut-être déniché un lieu où l'organiser, ou quelque chose comme ça. Mais bon, ce ne sont que des suppositions.

– Et ça n'explique pas sa disparition.

– Non.

Noémie prit son mug entre ses deux mains, le cala contre son menton et souffla doucement sur son thé pour le refroidir.

– Ce que je trouve inquiétant, c'est que les policiers n'aient pas réussi à localiser son portable. Ça signifie soit que la batterie a été enlevée, soit que le téléphone a été détruit.

– Est-ce qu'ils ont déclenché l'alerte enlèvement ?

– Ils attendent l'avis du magistrat. C'est lui qui doit décider, à partir des conclusions de l'enquête, si la disparition est jugée « inquiétante » ou pas.

– Bon. Alors, ça ne devrait plus tarder.

Noémie soupira.

– Pas sûr. Le capitaine Calcavechia revient sans arrêt sur cette histoire de fête. Il est persuadé que Marin a fugué à cause de ça. Moi, je n'y crois pas une seule seconde. Je ne me suis pas gênée pour le lui dire, visiblement il s'en fiche.

– Tu connais mieux ton frère que lui, que je sache !

– Oui, mais ce flic est buté. Il a même laissé entendre que les absences répétées de mon père n'étaient peut-être pas étrangères à ce qui arrive.

– Je vois. C'est le genre qui se prend pour un expert en psychologie de l'adolescent.

– Exactement. Il a décidé d'interroger tous les copains de Marin pour trouver où il se serait planqué. Je suis sûre qu'il fait fausse route. Mon frère est coléreux, pas rancunier. Il pique facilement sa crise, mais il se calme vite. Or, ça fait plus de quarante-huit heures qu'il a disparu...

Noémie s'interrompit et ses yeux s'emplirent de larmes. Alexia la prit aussitôt dans ses bras et la berça doucement.

– Ça va aller, murmura-t-elle.

– Oh, Alex, j'ai du mal à ne pas imaginer le pire !

– Chhhhhut... Garde confiance. Je suis certaine qu'on va le retrouver.

– Je m'en veux de l'avoir traité de petit con. De l'avoir engueulé parce qu'au lieu de s'intéresser à l'état de la planète, il ne pensait qu'au dernier modèle de smartphone qu'il avait demandé pour son anniversaire. Le matin du jour où il a disparu, je ne lui ai même pas adressé la parole tellement il m'énervait. Si jamais il lui arrivait malheur, je ne me pardonnerais pas d'avoir voulu jouer les donneuses de leçon et de lui avoir pourri la vie pour des bêtises.

– Allez, calme-toi. Primo, il ne lui est rien arrivé, et deuzio, tu as fait ton boulot de grande sœur : secoueuse de puces, je te garantis que c'est un vrai métier !

Noémie eut un pauvre sourire. Elle prit une profonde inspiration, avala plusieurs gorgées de thé, et dit :

– À propos de boulot de grande sœur, j'ai décidé de tenter quelque chose. Les flics traînent beaucoup trop. Je n'en peux plus d'attendre.

– Tu as pensé à quoi ? demanda Alexia, intriguée.

– Si ça se trouve, ça ne donnera rien, mais on ne sait jamais...

À cet instant, la sonnette retentit et Noémie se leva d'un bond.

– Le voilà !

– Qui ça ?

– Celui qui va peut-être nous aider à retrouver mon frère.

Le garçon secoua la tête et une mèche de boucles blondes lui retomba sur l'œil.

– Non, non, non. C'est pas cool ce que tu me demandes, Noémie. Je peux pas faire ça. Franchement, ce n'est pas réglo.

– Écoute, pour le moment l'enquête de la police n'a pratiquement rien donné, alors je pense qu'un petit coup d'accélérateur ne lui ferait pas de mal. Les flics vont certainement avoir l'idée de venir chercher l'ordi de Marin. Mais le temps qu'ils obtiennent une info digne de ce nom, ça peut prendre des jours. Alors j'aimerais autant que ce soit toi qui t'y colles dès maintenant, parce que tu pourrais nous faire gagner un temps précieux. Tu le connais bien, tu sauras tout de suite repérer quelque chose d'insolite ou d'inhabituel.

Fred écoutait attentivement la sœur de son ami tout en jetant régulièrement des regards en coin en direction de la rousse sublime qui était à ses côtés.

– Mais comment veux-tu que je sache où chercher si je ne sais pas exactement ce qu'on cherche ?

– On commencera par le plus simple : ses mails, les posts sur son profil Facebook, l'historique de sa navigation sur Internet, ses documents.

– C'est comme si tu me demandais de fouiller ses tiroirs pendant qu'il a le dos tourné. Franchement, Noémie...

– Sauf qu'il n'a pas le dos tourné, il a *disparu*, Fred ! Tu comprends ce que ça signifie ? Ton meilleur ami est peut-être en danger à l'heure qu'il est, alors tes scrupules et ton code d'honneur, tu les mets au placard. Tu veux aider Marin, ou pas ?

– Pfff... Évidemment ! répliqua Fred en haussant les épaules.

Jusqu'à présent, Alexia avait gardé le silence. Debout derrière l'ordinateur, elle faisait face à Fred assis au bureau de Marin, et elle promenait un index rêveur sur la tranche de l'écran comme si elle avait voulu l'amadouer pour qu'il leur livre ses secrets.

– Tu sais Noémie, déclara-t-elle, c'est difficile ce que tu lui demandes, craquer un mot de passe, ce n'est pas à la portée de tout le monde.

Aussitôt, Fred se rengorgea.

– Vous rigolez ? Je me suis attaqué à des trucs bien plus durs que ça !

– Tu as devant toi un petit génie en informatique, ma chère! l'informa Noémie.

– C'est vrai? s'étonna Alexia en ouvrant de grands yeux impressionnés. J'ai toujours été fascinée par les hackers. Je donnerais n'importe quoi pour être Lisbeth Salander!

– L'héroïne de *Millénium*? Elle est trop, trop géniale! s'enthousiasma Fred.

Il se redressa sur sa chaise, frotta ses mains l'une contre l'autre comme pour les échauffer, puis lança sur un ton de défi :

– Bon, les filles, on y va?

Noémie hocha la tête et poussa un soupir de soulagement.

Les doigts du garçon se mirent alors à courir à une vitesse vertigineuse sur le clavier. Il lui fallut moins de cinq minutes pour réussir à entrer dans l'ordinateur. Subjuguées, les deux jeunes femmes ne le quittaient pas des yeux.

– Je visite quoi en premier, la boîte mail?

Noémie acquiesça.

– On commence par regarder la liste des correspondants, histoire de vérifier si mon frère n'est pas entré récemment en relation avec une nouvelle personne, auquel cas on lira le contenu des messages.

– Ça roule.

Fred fit défiler la liste des messages reçus en remontant sur les trois derniers mois.

– Rien que des potes ou de la pub, observa-t-il.

– Parmi les noms des potes, il n'y a personne qui te paraîtrait louche?

– Du genre?

– Du genre racaille, toxico, je ne sais pas, moi!

– Non. Je les connais pratiquement tous et ils sont clean. Attends, je vérifie juste un truc...

Noémie s'immobilisa, le souffle soudain plus court, tandis que Fred amenait le curseur sur un message et cliquait pour l'ouvrir.

– C'est bien ce que je pensais... Ah, l'enfoiré !

– Quoi ?

– Il m'a enfumé ! Il y a deux mois, il m'a raconté qu'il avait jeté Nadia, mais en fait, c'est elle qui l'a viré ! À chaque fois qu'une fille lui plaît, c'est pareil, ça foire. Faut reconnaître qu'avec son caractère...

– Bon, Fred, s'impatienta Noémie, je ne pense pas que ce soit très important. On perd du temps, là.

– Oui, oui, excuse.

Alexia eut un petit sourire ironique qui fit rougir le garçon. *Pour quelqu'un qui refusait de fouiller dans les tiroirs*, semblait-elle penser. Gêné, Fred se racla la gorge.

– Hum... Et si on lisait les messages des jours qui ont précédé sa disparition ? Ça permettrait de voir si quelqu'un lui a donné rendez-vous samedi après les cours.

– Bonne idée. On y va.

Ils lurent une dizaine de mails, sans succès. Aucune trace de rendez-vous non plus.

À tout hasard, Fred quitta la boîte de courrier électronique et fouilla dans le dossier « documents ». Il ne trouva que des brouillons de dissertations d'histoire et de français ainsi que des copier-coller de pages Wikipédia. L'examen de l'historique des connexions au web se révéla aussi décevant : un ou deux sites de jeux en ligne, une dizaine de blogs sans intérêt, des vidéos musicales sur YouTube...

– Une chose est sûre, Marin c'est tout sauf un geek! déclara Fred en soupirant.

Noémie fronça soudain les sourcils.

– J'y pense, c'est le même opérateur qui lui fournit l'accès à Internet et le téléphone mobile. En allant à la page d'accueil, on doit pouvoir accéder à la messagerie de son smartphone. Il y a peut-être quelque chose de ce côté-là.

– C'est comme si c'était fait! répondit Fred.

Mais la boîte vocale était vide. Il n'y avait pas de nouveau message. Quant aux précédents, déjà écoutés, Marin les avait effacés.

De dépit, Noémie tapa du plat de la main sur le bureau, faisant sursauter Fred.

– Attends, j'ai une idée, annonça-t-il. Je pourrais vérifier s'il s'est connecté à Internet via son mobile dans les heures qui ont précédé sa disparition.

– À mon avis, on perd notre temps, dit Noémie.

– Laisse-moi essayer, on ne sait jamais.

– OK.

Fred se remit à pianoter comme un fou tandis que Noémie faisait les cent pas dans la chambre en se rongeant les ongles. Au bout d'un moment, le garçon s'écria :

– YEEESSS!

Les deux jeunes femmes se précipitèrent à ses côtés, les yeux rivés sur l'écran.

– Entre treize heures trente et quatorze heures trente, il s'est connecté six fois, dont une fois à Google, puis immédiatement après à Wikipédia. Les trois connexions précédentes et la suivante sont toutes dirigées sur le même site www.orphans-project.com. Vous connaissez?

116

Alexia et Noémie hochèrent négativement la tête.
- Moi non plus. Jamais entendu parler de ce truc. Il ne nous reste plus qu'à aller voir.

Fred revint au navigateur, entra l'adresse et appuya sur la touche « entrée ». Au bout de trois secondes, une fenêtre s'ouvrit. Effarés, ils lurent le message suivant : *Error 404 file not found.*
- Merde! pesta Fred. L'URL n'existe plus.
- Tout ça pour rien! gémit Noémie.
- Et les deux autres connexions, tu peux retrouver ce que c'était? demanda Alexia.

Fred se remit aussitôt au travail et ne tarda pas à leur livrer la réponse.
- Il a cherché la définition de *camera obscura*, annonça-t-il, de plus en plus perplexe.

Désarçonnée, Noémie alla s'asseoir sur le lit de son frère. Elle dit tout haut ce que chacun d'eux pensait tout bas :
- Mais qu'est-ce que c'est que cette histoire de fous?

Puis elle ajouta, songeuse :
- Je vais appeler Calcavechia.
- C'est qui? demanda Fred.
- Le flic chargé de l'enquête.
- T'es folle! s'écria le garçon. Je veux pas d'ennuis, moi!
- Il a raison, intervint Alexia. Tu nous mettrais dans une position délicate.

Noémie soupira.
- D'accord. Je vais simplement lui dire que l'ordi est à sa disposition et lui suggérer de venir le récupérer au plus tôt.

14

Après avoir interrogé Marin et écouté le récit des Lenoir, le docteur Funkel déclara :

– À première vue, je pencherais pour un état de fugue.

– N'importe quoi ! s'insurgea le garçon. Je n'ai pas fugué, j'ai été enlevé. Vous n'avez qu'à demander à votre copine, l'agent Ribeiro, elle en est certaine !

Assis à ses côtés, son oncle et sa tante tendirent tous deux la main vers lui dans un geste d'apaisement, mais il les repoussa avec impatience.

– C'est bon, OK ?

Le visage du médecin demeura de marbre, son regard aigu fixé sur Marin avec un intérêt manifeste.

– Calmez-vous, jeune homme, le somma-t-il. Vous m'avez mal compris. On appelle état de fugue un trouble psychiatrique caractérisé par une amnésie réversible affectant les souvenirs, la personnalité, en bref, les éléments d'identification de l'individualité. Est-ce que cela vous parle davantage ?

Marin se figea. Puis, contrit, il hocha la tête en signe d'assentiment. Ces précisions d'ordre médical ne faisaient, hélas, que confirmer ses craintes. Soudain très las, il posa les avant-bras sur les accoudoirs et il s'affaissa dans le fauteuil.

Trouble psychiatrique. Si je comprends bien, ce toubib est tranquillement en train de m'expliquer que je suis dingue...

– Cet état, aussi appelé fugue dissociative, est habituellement d'une durée limitée : de quelques heures à quelques jours, ce qui semble être le cas ici, puisque la crise n'a duré qu'une semaine, poursuivit le docteur Funkel. La fugue s'accompagne d'une modification de l'état de conscience, d'une confusion mentale, d'une perte des repères. En clair, il s'agit d'un trouble dissociatif de la mémoire qui se manifeste par une rupture avec les éléments de base de la vie d'un individu. Cela pousse généralement les patients à errer hors de leur environnement habituel et à nier toute connaissance relative à cet environnement comme à leur personne. Certains vont jusqu'à se créer une nouvelle identité.

Abasourdi, Marin s'efforçait de digérer toutes ces informations et surtout, d'établir un lien avec ce qu'il ressentait.

– A-t-on une idée de ce qui peut provoquer cet état, docteur ? demanda alors son oncle.

– Eh bien, un tel trouble survient généralement à la suite d'un événement stressant. Il constitue une réponse à un choc émotionnel.

Carole Lenoir hésita avant d'intervenir.

– Les parents de Marin sont morts dans un accident l'année dernière. Vous pensez que cela pourrait avoir un lien ?

– Ce n'est pas impossible. Lorsqu'un deuil est trop dur à faire, notre inconscient s'arrange pour le différer et il met en place ce que l'on appelle des mécanismes de défense, une protection si vous voulez, qui permet de tenir à distance un événement traumatisant. Cela pourrait être le cas, même s'il s'est écoulé plusieurs mois. L'état de fugue peut également être consécutif à l'ingestion de substances toxiques ou à un traumatisme physique. C'est pourquoi, si vous le permettez, j'aimerais vous examiner. Cela nous fournira peut-être une indication...

Marin regarda le médecin droit dans les yeux et demanda d'une voix blanche :

– Je voudrais que vous me disiez... Est-ce que je suis en train de devenir fou ?

Le docteur Funkel caressa pensivement sa barbe.

– Jeune homme, « une conception correcte de ce qui constitue la distinction entre le sain d'esprit et l'aliéné n'a, pour autant que je sache, pas été trouvée. » Ce n'est pas moi qui l'affirme, c'est le philosophe Schopenhauer.

– Ça me rassure vachement, maugréa Marin.

Le médecin eut un petit rire.

– Voilà une réponse qui, quant à elle, me paraît tout à fait rassurante concernant votre santé mentale. Allons, suivez-moi.

Ils passèrent tous deux dans la salle d'examen. Le médecin pria Marin de se déshabiller et de s'allonger. L'auscultation révéla une tension normale. Le cœur était un peu rapide, sans doute à cause du stress. La palpation de l'abdomen ne provoqua aucune douleur particulière. Les réflexes étaient bons, la vue et l'audition également. Marin fut pesé et mesuré.

Le docteur Funkel ne décela aucune trace de violence, ce qui lui permit d'écarter l'hypothèse du traumatisme physique.

- Bien! Des maux de tête? Des vertiges?
- Oui. Quelques-uns. Mais ils diminuent.
- On va faire un bilan sanguin pour s'assurer que tout va bien. Vous pouvez vous rhabiller.

Comme Marin lui tournait le dos pour prendre ses vêtements suspendus à la patère murale, l'attention du médecin fut soudain attirée par un détail.

- Vous avez un tatouage très original sur la nuque. Il a une signification particulière?

Marin s'immobilisa. Il prit le temps d'enfiler sa chemise avant de répondre.

- Je suis désolé. Je ne m'en souviens pas.
- Bon... Cela vous reviendra sûrement. Je vous attends dans mon bureau.

Le docteur Funkel rejoignit les Lenoir dans la pièce voisine. Marin acheva de se rhabiller, puis se passa la main sur la nuque. Il ne sentit rien de particulier sous ses doigts. En revanche, une certaine raideur subsistait au niveau des cervicales lorsqu'il tournait la tête. Il se plaça de profil devant le miroir accroché à la porte et, tirant des deux mains sur la peau de son cou, il tenta de voir le tatouage que le médecin avait mentionné. Il ne distingua qu'une tache noire, déformée par la traction exercée par ses doigts. Il décida de remettre l'examen à plus tard.

Ce dont il se souvenait en revanche, c'est qu'il avait toujours détesté les tatouages.

122

Lorsqu'ils eurent regagné la maison des Lenoir, Marin se rendit dans la salle de bain et s'y enferma. Il ôta sa chemise et se plaça devant le lavabo, dos à la glace. Puis prenant un miroir de poche posé sur une étagère, il l'orienta de manière à voir sa nuque dans le double reflet.

Le docteur Funkel n'avait pas menti. À la naissance des cheveux, sa peau présentait un petit tatouage de forme carrée. Trois des angles étaient occupés par un carré noir. À l'intérieur de ce périmètre, des modules noirs étaient agencés à la manière des briques de Lego.

Marin eut l'impression que son sang refluait brutalement vers ses pieds et il devint livide.

S'il n'avait aucune idée de la provenance de ce tatouage et ignorait depuis quand il le portait, il savait parfaitement ce qu'il représentait.

– Un QR code, murmura-t-il.

Aussitôt, une série de souvenirs flashs défila dans son esprit : la façade du musée, le pilier de la galerie, les statues des quatre vertus cardinales. Chacune de ces images était accompagnée d'une phrase, prononcée par une voix grave au timbre harmonieux :

Rejoins Orphans Project.

Rejoins Orphans Project...

15

Alexia habitait un quartier nommé la Ville en Bois qui s'étendait au sud-ouest du vieux port. Dans la première moitié du XIXe siècle, la réalisation d'un grand bassin à l'extérieur du port principal, destiné à recevoir le charbon et le bois scandinaves, avait entraîné la construction d'ateliers et d'entrepôts consacrés à l'assemblage et à la réparation navale. Remises au goût du jour, ces constructions basses transformées en habitations séduisaient bon nombre d'artistes ou de jeunes couples un peu bohèmes.

Après avoir visité une dizaine d'appartements traditionnels et sans âme situés dans des quartiers réputés plus chics, Alexia avait eu un coup de cœur pour ce lieu insolite, un ancien atelier qui sentait encore le bois, l'huile et le vernis. Ne manquant pas d'idées pour l'aménager, elle en avait fait un endroit chaleureux et accueillant, aux couleurs gaies et à la décoration pleine de fantaisie.

Ce qu'elle appréciait par-dessus tout, c'était la vue sur la mer et les fortifications du vieux port. Et s'il lui arrivait souvent d'avoir froid l'hiver et chaud l'été dans cette construction ancienne et mal isolée, pour rien au monde elle n'aurait renoncé au charme de sa « cabane ».

Ce soir-là, elle venait tout juste d'arriver chez elle lorsque son téléphone sonna.

– Oui, allô ?

– *Bonjour mademoiselle la curieuse. Comment allez-vous depuis l'autre soir ?*

Reconnaissant la voix de son interlocuteur, la jeune femme demeura muette de stupéfaction. Puis une lueur d'amusement apparut dans son regard lorsqu'elle répondit :

– Très bien. Et vous-même, monsieur le photographe ?

– *Je viens prendre des nouvelles de votre article.*

– Quel article ?

– *Vous savez, ce fameux portrait d'un jeune artiste américain contemporain.*

– Oh, celui-ci ? Je crains d'avoir renoncé à l'écrire.

– *C'est dommage. À votre place, je m'y remettrais sans tarder. C'est un excellent sujet.*

Alexia éclata de rire.

– Vous pensez réellement ce que vous dites ?

– *Je suis tout à fait sérieux. J'y ai beaucoup réfléchi. Je me dis que l'idée va forcément effleurer un journaliste du coin d'ici peu. La presse locale manque de matière pour ses pages « culture ». Et je ne vous cache pas que, quitte à être interviewé, je préférerais que ce soit par vous.*

– Eh bien, c'est très aimable à vous, fit Alexia d'une voix hésitante. Qu'est-ce qui me vaut cet honneur ?

– Ah, ces Français, toujours les grands mots ! Disons simplement que ça me ferait plaisir. Vous aimez la cuisine italienne ?
– Heu… Oui. J'adore…
– Huit heures chez Lucio, ça vous irait ?
– Huit heures ? Heu… Oui, oui, bien sûr !
– C'est parfait. Alors à tout à l'heure.

Installé à La Roche d'Aulnay depuis une dizaine d'années, non seulement Lucio était un excellent cuisinier, mais son restaurant était un lieu si chaleureux et original que les clients n'hésitaient pas à parcourir des kilomètres pour venir y passer un moment, attirés par les grandes toiles caravagesques qui ornaient les murs. Imaginées par le peintre Donato Grieco, ces scènes de taverne d'inspiration baroque représentaient des repas joyeux où des figures du XVe siècle empruntées à l'imaginaire populaire napolitain se mêlaient à des personnages réels. L'on pouvait ainsi s'amuser à reconnaître dans chaque tableau les traits de membres du personnel du restaurant ou ceux de certaines célébrités.

À peine arrivée au restaurant, Alexia fut interceptée par un serveur qui paraissait n'attendre qu'elle et la conduisit à une table dressée dans un coin intime. Sean était déjà là. Il se leva pour l'accueillir. Ils se serrèrent brièvement la main, gênés l'un et l'autre. Le garçon leur apporta deux apéritifs maison et alluma les trois petites bougies rondes qui décoraient la table.

– À nos retrouvailles, dit Sean en levant son verre.

– À propos, comment avez-vous obtenu mon numéro de téléphone ? interrogea Alexia.

Sean se mit à rire.

– Vous voulez toujours tout savoir, vous, n'est-ce pas ?

– Toujours.

– Eh bien, ce n'est pas très compliqué. J'ai expliqué à votre ami journaliste que je serais ravi de vous envoyer une invitation pour le prochain vernissage, mais que vous vous étiez sauvée si vite que je n'avais pas eu le temps de vous demander vos coordonnées...

– Je vois.

– Il s'est montré très coopératif. Solidarité professionnelle, sans doute ?

– Exactement. Vincent est quelqu'un sur qui je peux compter. Et cette expo, quand doit-elle avoir lieu ?

– Je n'en ai pas la moindre idée ! répondit Sean. Et j'ai le sentiment que vous vous en fichez autant que moi.

Il leva de nouveau son verre, et cette fois ils trinquèrent en riant.

– La France exerce une mauvaise influence sur vous, déclara Alexia. Voilà que vous devenez menteur.

– Disons que, parfois, la fin justifie les moyens.

Alexia scruta le visage de son compagnon. À quelles *fins* espérait-il parvenir en ce qui la concernait ? Quelle que soit la réponse, elles ne devaient pas lui faire perdre de vue les siennes pour autant. Elle ouvrit la carte que lui tendait le serveur et tâcha de se concentrer sur la lecture du menu.

Au bout d'un moment, elle remarqua que Sean avait laissé le sien fermé sur la table.

– Vous ne faites pas votre choix ? s'étonna-t-elle.

– Je sais ce que je veux.

Eh bien, on a au moins ça en commun ! songea Alexia en souriant.

– Un tajine de lotte, précisa-t-il.

C'était la spécialité de Lucio.

– Excellente idée. Je prendrai comme vous.

Lorsqu'ils eurent passé commande, elle posa ses coudes sur la table, entrecroisa ses doigts et cala son menton dessus.

– Vous êtes donc un habitué des lieux ? demanda-t-elle en plongeant son regard dans le sien.

– Absolument pas. On m'a juste recommandé l'endroit en me vantant sa spécialité. Et je trouve plus intéressant de regarder la jeune femme assise en face de moi que d'éplucher une liste de plats, poursuivit Sean.

– Après le mensonge, la flatterie... Les mœurs françaises n'auront bientôt plus de secrets pour vous.

– J'apprends vite.

– C'est impressionnant. Ne me dites pas que vous venez en France pour la première fois, je ne vous croirais pas.

– Non, en effet. Mais j'étais enfant, puis adolescent. Mes parents ont divorcé quand j'étais gamin, je suis resté avec ma mère aux États-Unis. Je n'étais pas revenu voir mon père depuis plusieurs années. Quand il me l'a proposé, j'ai hésité.

Il s'interrompit, et fixa longuement Alexia avant d'ajouter :

– Finalement, je pense que j'ai eu raison d'accepter.

– Votre père n'est pas un homme ordinaire, fit remarquer la jeune femme.

Sean haussa un sourcil moqueur.

– Alors comme ça, vous aussi, vous êtes tombée sous son charme ?

– Reconnaissez que c'est quelqu'un qui ne laisse pas indifférent.

– C'est vrai. Il possède ce qu'on appelle un physique avantageux.

– Je parlais plutôt de sa réussite. Un tel parcours, c'est impressionnant !

– D'un point de vue français, j'imagine que oui.

– Et d'un point de vue américain ?

– Diplômé du MIT après un double cursus en physique et en sciences cérébrales et cognitives, il a enchaîné avec une formation en biotechnologies et nanotechnologies. Le FBI a tenté de le recruter, mais il a préféré opter pour l'industrie et a décroché un poste chez Life Rex, une multinationale de pointe spécialisée dans la recherche et les hautes technologies, notamment le génie biomédical. C'est là qu'il a mis au point le MEG Plus. Une fois le brevet déposé, il n'a eu qu'à empocher les royalties. Oui, même d'un point de vue américain, c'est un beau parcours...

– Le MEG Plus ? De quoi s'agit-il ? s'enquit Alexia, les yeux brillants.

Elle dut cependant patienter un peu avant d'en apprendre davantage. Le serveur venait de déposer devant eux deux assiettes d'où montait un fumet qui les fit saliver. Il remplit également leurs verres après que Sean eut goûté le vin en prenant son temps.

– Alors, qu'en dites-vous ? demanda-t-il avec un clin d'œil lorsque le garçon fut reparti.

– J'ignorais qu'il avait une telle carrière derrière lui, mais...

– Je vous parle du lambrusco, coupa Sean.

Alexia rougit.

– Oh! Il est... très bien.

Sean fit la moue.

– Vous êtes indulgente, il est correct, sans plus.

– Vous savez, je bois très peu. Mais je prendrais volontiers de l'eau, j'ai très soif!

Sean appela le serveur.

– Plate ou gazeuse?

– Aucune importance.

– Une bouteille de San Pellegrino, s'il vous plaît.

– Tout de suite, monsieur.

– Voyons ce que donne ce tajine, déclara Sean en attaquant le contenu de son assiette.

Alexia attendit son verdict, pressée qu'il abandonne la critique gastronomique pour revenir au sujet qui l'intéressait.

– Vous ne mangez pas? s'étonna-t-il en lui désignant son assiette du bout de sa fourchette.

– Si, si.

Elle enfourna une bouchée qu'elle se dépêcha d'avaler avec une moue appréciative.

– Vous parliez du MEG Plus... reprit-elle.

Sean fronça les sourcils comme s'il réfléchissait intensément, puis il hocha la tête.

– Oui. On ne m'a pas menti, ce plat vaut le détour. Le poisson est incroyablement fondant et la sauce est délicieuse. Qu'en dites-vous?

Alexia le regardait bouche bée. Il ne pensait donc qu'à manger!

– Oui, c'est fameux!

– Vous désirez davantage de sel ? Du poivre ?

– Non, non, c'est parfait ! assura Alexia avant d'enfourner trois bouchées coup sur coup pour se calmer.

Tout à coup, Sean posa ses couverts, l'air contrarié.

– Il a oublié la bouteille de San Pe !

Déjà, il levait le bras pour appeler le serveur.

– Laissez tomber, je peux attendre !

– Ah bon ? s'étonna Sean. Vous avez dit que vous mouriez de soif…

– Je vous certifie que *ça va très bien*, assura Alexia, au supplice.

– Comme vous voudrez. De quoi parlions-nous déjà ?

– De l'invention de votre père.

– Ah, oui ! Le « MEG Plus Ultra », dit Sean en riant.

– Pardon ?

– C'est comme ça qu'il le surnomme, pour rire. Vous avez quelques notions en imagerie médicale ?

– De base, uniquement.

– Eh bien, pour faire simple, la MEG – ou magnéto-encéphalographie – est une méthode relativement récente, non invasive et atraumatique plus perfectionnée que le traditionnel électro-encéphalogramme. Elle permet d'étudier le fonctionnement du cerveau et ses maladies grâce aux ondes magnétiques, d'où son nom. Son principal avantage est que les signaux magnétiques présentent une distorsion beaucoup moins importante que les signaux électriques, l'imagerie est donc plus fiable.

– En effet, j'ai entendu parler de ça, mentit Alexia.

– La MEG mesure les champs magnétiques créés par le flux électrochimique d'information qui traverse les cellules nerveuses. Elle permet le diagnostic précoce des maladies neurodégénératives comme Alzheimer et Parkinson et aide les chirurgiens dans le choix de leur stratégie opératoire. Quand Life Rex a embauché mon père, la société venait de créer un laboratoire de neuro-ingénierie cognitive qui travaillait sur les mécanismes du cerveau. On lui a confié la direction de l'équipe. Cinq ans plus tard, elle mettait au point le MEG Plus grâce à ses découvertes.

– Un magnéto-encéphalogramme nouvelle génération ?

– Exactement. Non seulement il combine plusieurs techniques, l'IRM, l'EEG[1] et la MEG, mais ses capteurs sont trois fois plus nombreux et tiennent compte de la différence de conductivité des différentes couches de tissu. Bien entendu, ce labo n'était pas le seul à travailler sur ce type de projet. Mais c'est Zac qui a apporté le nec plus ultra...

– Zac ?

– Mon père, Zacharie Speruto. Il a inventé un système qui supprime les perturbations magnétiques induites dans l'environnement. C'était un problème, car elles rendaient obligatoire une protection par chambre blindée. De plus, il a imaginé un procédé grâce auquel on obtient un refroidissement de la machine rapide et peu coûteux. Jusque-là, on utilisait de l'hélium liquide, ce qui était hors de prix. Résultat de l'opération, efficacité sans précédent et coût moyen de l'équipement divisé par cinq. Yes !

1. IRM : imagerie par résonance magnétique. EEG : électro-encéphalogramme.

– Waouh... souffla Alexia, impressionnée.

– Avec ça, il est tranquille pour ses vieux jours. Il aurait pu prendre sa retraite à quarante-cinq ans, mais son boulot c'est vraiment sa passion, alors il a continué.

– Toujours chez Life Rex?

– Non. Maintenant, il bosse pour lui. Un projet qui lui tient à cœur depuis longtemps. C'est ce qui l'a conduit à créer le Seahorse Institute.

Alexia retint son souffle. Elle était suspendue aux lèvres de Sean, s'efforçant de mémoriser au passage un maximum d'informations. Elle n'aurait jamais osé espérer en apprendre autant en si peu de temps.

– C'est terminé, messieurs dames? Ça a été?

La jeune femme sursauta et dévisagea le serveur, éberluée.

– Très bien, je vous remercie, répondit Sean.

L'homme ôta leurs assiettes et leurs couverts, balaya les miettes sur la nappe.

– Je vous apporte la carte des desserts?

Sean interrogea Alexia du regard.

– Heu... Pourquoi pas? répondit-elle alors qu'elle n'avait absolument plus faim.

– Je vous recommande le tiramisu, suggéra le serveur. Ici on le surnomme *peccato mortale*.

– Péché mortel, joli programme! commenta Sean en riant.

Alexia acquiesça en souriant. Elle se moquait du tiramisu. D'un geste automatique, elle saisit la carte qu'on lui tendait et se dit qu'elle prendrait le premier plat sucré sur lequel ses yeux tomberaient. Ce fut un carpaccio d'ananas. *Parfait pour mon régime!* se réjouit-elle.

Bouillant d'impatience, elle dut attendre que son compagnon se décide pour le fameux tiramisu après avoir hésité avec le délice de mascarpone aux fraises et aux spéculoos.

Comment fait-il pour être aussi mince, avec ce qu'il ingurgite ?

Il lui fallut ensuite l'écouter faire des commentaires sur les autres clients et le décor du restaurant (« Vous avez reconnu Lucio en tavernier dans le tableau du milieu ? Et là, ne serait-ce pas George Clooney ? Mais non, je plaisante ! Ces toiles, quelle idée géniale ! ») avant que la conversation revienne enfin sur Zacharie.

– Cet institut, c'est un peu son bébé, déclara Sean entre deux bouchées. Le projet de toute une vie !

– Et... de quoi s'agit-il exactement ? demanda Alexia, frémissante.

Sean posa sa cuillère et plongea son regard dans le sien avec une intensité qui la troubla. Après un temps de silence, il reporta soudain toute son attention sur le contenu de son assiette et lança d'un ton détaché :

– Ça, mademoiselle, je ne pense pas être autorisé à vous en parler pour le moment.

16

Alexia prit une profonde inspiration et gratifia son compagnon d'un franc et charmant sourire.

– Je comprends. Aucun problème! Un homme comme lui doit avant tout penser à protéger ses intérêts, je suppose.

– Vous l'avez constaté, répondit Sean, c'est un bel homme, brillant et fortuné. Il suscite donc trois types de réaction. Beaucoup l'admirent pour sa réussite, d'autres l'envient et certains le haïssent.

– Et vous? risqua Alexia.

– Moi? Les trois à la fois, bien entendu! répondit-il en riant.

Elle joignit son rire au sien. Décidément, ce garçon n'en finissait pas de la surprendre.

– Vous prendrez un café?

Elle acquiesça et il commanda deux expressos.

– Quand je viens en France, je fais une cure. Ça me change du café américain.

– Oh, je vois ! Et combien de temps va durer votre cure cette fois-ci ?

Le visage de Sean s'assombrit imperceptiblement.

– Je ne sais pas. Je n'aime pas fixer ce genre de chose à l'avance. Quand ça me prend, je boucle mes valises et je saute dans le premier avion.

Alexia ne fit aucun commentaire. Elle se surprit à ressentir une légère contrariété à l'idée que Sean puisse repartir sous peu aux États-Unis.

– Vous savez, votre exposition semble avoir beaucoup plu aux visiteurs, observa-t-elle.

– En effet. Mon père a sans doute raison, il est persuadé que mon style est plus adapté au goût français. Je dois reconnaître que mon travail est davantage apprécié ici qu'outre-Atlantique.

– Vous faites de la photo depuis longtemps ?

– Depuis toujours. Après le lycée, j'ai intégré une école d'arts et j'ai essayé de me faire connaître. Oh ! À propos... Dès le début, j'ai signé mes photos sous un pseudo, enfin pas totalement puisque j'ai repris le nom de ma mère, Evans. Ce qui explique que vos recherches sur Sean Speruto n'aient rien donné.

– Evans ? Comme le grand photographe Walker Evans ! s'exclama Alexia.

– Vous connaissez ? demanda-t-il, agréablement surpris.

– J'adore son travail !

– Moi aussi. J'ai pensé que ça me porterait chance.

– Et c'est le cas ?

Sean eut un petit rire désabusé.

– Pas vraiment ! J'ai réussi à placer quelques images dans la presse et dans la pub et j'ai fait trois ou quatre expos, mais ça n'a pas eu de suites. J'avais décidé de laisser tomber quand mon père m'a proposé de présenter mon travail dans sa galerie.

– Il a eu une bonne idée. Ç'aurait été dommage...

– Ne dites pas de bêtises, vous n'avez même pas regardé mes photos l'autre soir.

– Détrompez-vous ! Et j'ai beaucoup aimé, rétorqua Alexia avec aplomb.

– De toute façon, ça fait toujours du bien de voyager, de voir d'autres lieux, d'autres gens. C'est bon pour le regard. Alors j'ai accepté.

Alexia s'apprêtait à lui poser une nouvelle question lorsque son téléphone sonna. En lisant le nom de l'appelant, elle fit la grimace.

– Excusez-moi, je suis obligée de répondre. C'est pour le boulot, un article qui doit paraître après-demain dans un magazine, expliqua-t-elle en se levant à demi.

– Je vous en prie, répondit Sean en l'excusant d'un geste de la main.

– Oui, allô ? Attends, ne quitte pas, deux secondes...

Alexia couvrit le micro de son mobile avec sa paume et chuchota à l'adresse de Sean :

– Je reviens tout de suite !

Il la regarda traverser la salle pour prendre l'appel à l'extérieur, et en profita pour demander qu'on lui apporte l'addition. De sa place, il pouvait apercevoir Alexia qui allait et venait devant l'entrée du restaurant. De temps en temps, elle stoppait net sur le trottoir et se mettait à faire de grands gestes tout en parlant. Elle paraissait énervée.

Sean finissait de taper son code sur le terminal de paiement par carte quand un mouvement insolite attira son regard à l'extérieur. Une silhouette sombre et encapuchonnée, jaillie d'on ne sait où, courait droit sur Alexia. Absorbée par sa conversation téléphonique, celle-ci ne lui prêtait pas attention.

Sean crut que l'inconnu allait dévier sa trajectoire pour l'éviter, mais au contraire, il fonça sur elle, le bras tendu devant lui, et la percuta violemment à l'épaule. Le coup la projeta au sol et elle s'écroula en poussant un cri de frayeur. Sean repoussa aussitôt sa chaise et se rua à l'extérieur.

– Vous êtes blessée ? s'écria-t-il en la rejoignant.

– Non, je crois que ça va... Ce sale type m'a volé mon portable ! répondit-elle en désignant l'individu qui s'enfuyait au bout de la rue.

Sans attendre, Sean bondit sur ses pieds et s'élança à sa poursuite. L'autre avait plus de cent mètres d'avance, mais cela le fit sourire : il avait à son actif des années d'entraînement et plusieurs dizaines de courses.

Avant que le voleur ait eu le temps de réaliser ce qui lui arrivait, Sean l'avait rejoint et l'agrippait aux épaules. En trois secondes, il le plaqua au sol, le nez contre le bitume, et l'immobilisa en calant un genou dans le bas de son dos tout en crochetant sa nuque d'une poigne de fer.

– Lâchez-moi, putain ! hurla le voyou.

Il tentait en vain de se débattre, mais Sean raffermit encore sa prise, lui écrasant la joue sur le goudron.

– T'as pas honte d'agresser les dames ?

De sa main libre, il arracha sa capuche. Le voleur paraissait âgé d'environ quinze ou seize ans. Il lui jeta un coup d'œil apeuré.

Sean le fouilla et ne tarda pas à trouver le téléphone portable qu'il fourra aussitôt dans une des poches de son jean.

– Allez, dégage d'ici vite fait ! ordonna-t-il en se relevant.

L'autre ne se fit pas prier. Il détala en l'insultant copieusement et disparut au coin de la rue.

Lorsque Sean regagna le restaurant, un petit attroupement s'était formé autour d'Alexia. La jeune femme se tenait le bras et son coude saignait. Lucio proposa d'appeler les pompiers et la police, mais elle refusa l'un et l'autre.

– Je voudrais rentrer chez moi, dit-elle, apercevant Sean avec soulagement.

– Je vous raccompagne, annonça celui-ci en passant son bras autour de sa taille. Ma voiture est à deux pas.

Légèrement en état de choc, Alexia le suivit.

Il la fit monter dans l'Alfa Romeo, referma la portière en douceur, puis s'installa au volant. Il mit le contact, fouilla dans sa poche et, se tournant vers elle avec un sourire, il lui tendit son téléphone.

– Vous l'avez récupéré ? demanda-t-elle, ébahie.

– J'espère que c'est bien le vôtre !

Elle hocha la tête, le regardant avec une admiration non feinte.

– C'est parfait, dit-il. Alors, où va-t-on ?

Elle lui indiqua l'adresse.

– Vous avez une belle voiture, observa-t-elle tandis qu'ils roulaient en silence depuis cinq minutes.

– Elle appartient à mon père. Il me fait la grâce de me la prêter de temps en temps. Le plus difficile, c'est d'obtenir qu'il me la laisse *sans* le chauffeur, soupira Sean.

– Pourtant vous conduisez bien, déclara Alexia.

– Pensez à l'en informer la prochaine fois que vous le verrez.

Alexia se demanda où commençait la plaisanterie et où était la part de sérieux dans tout ce que Sean disait. Elle le trouvait déconcertant et cela n'était pas pour lui déplaire. Lorsqu'ils arrivèrent à la Ville en Bois, elle le guida jusqu'à l'ancien débarcadère.

– Un petit détour que vous ne regretterez pas.

Dès qu'il eut arrêté la voiture, elle descendit, gagna le bout du quai et l'appela d'une voix impatiente.

– Venez voir! D'ici, on a une vue magnifique sur le vieux port!

Il la rejoignit en riant.

– On dirait que vous allez mieux!

– Venir ici m'aide toujours à aller mieux, répondit Alexia en lui désignant le paysage.

La mer était calme ce soir-là. Les tours médiévales révélées par la lumière orangée des projecteurs et l'enfilade de maisons de pierre qui bordaient le bassin se reflétaient dans le miroir de ses eaux noires. On eût dit deux villes siamoises, soudées l'une à l'autre, symétriques et inversées, l'une tournée vers le ciel, l'autre vers les profondeurs, se jouant de l'observateur naïf à qui elles déroberaient le spectacle d'une troisième réalité, aussi invisible qu'inimaginable.

– C'est très beau, souffla Sean en passant son bras autour des épaules d'Alexia.

Elle frissonna et il resserra son étreinte. Le regard toujours tourné vers la mer, elle dit :

– J'habite juste à côté d'ici. Je vous offre un verre ?

– Un peu d'alcool pour désinfecter votre coude. Ensuite, on verra.

Alexia se tourna alors vers Sean et l'examina avec curiosité.

– J'hésite, je vous engage tout de suite comme garde du corps ou comme infirmier ?

– Engager ? Quel mot affreux ! s'écria-t-il en faisant mine de retourner à la voiture.

– Oubliez ça. Je vous invite à découvrir ma cabane. J'y cache un excellent rhum des îles. On pourra s'en servir pour nettoyer mes blessures. Ensuite, on boira le reste.

– Excellent programme, approuva Sean.

Il était vingt-trois heures trente lorsqu'il pénétra pour la première fois dans la cabane.

Il en ressortit le lendemain au lever du jour.

17

– On part dans cinq minutes. Tu es prêt ?
demanda Thierry Lenoir.

Marin fronça les sourcils.

– On va où ?

– Tu le sais bien, on est vendredi soir, lui répondit
doucement Carole.

– Ah, OK, fit Marin qui n'avait aucune idée de ce
qu'ils étaient censés accomplir le vendredi soir.

Il s'aperçut qu'il n'était pas mécontent de sortir. À
part la visite au cabinet du docteur Funkel, il n'avait
pas mis les pieds dehors depuis son arrivée, passant
son temps à dormir et espérant en vain qu'il finirait
par se réveiller enfin chez lui.

Le médecin ayant recommandé un maximum
de repos, son oncle et sa tante l'avaient laissé tranquille. Mais durant ces heures de solitude, il n'avait
pas cessé de réfléchir sans pour autant avancer d'un
pouce. Il ne comprenait toujours pas ce qui lui arrivait et avait l'impression que plus le temps passait,
plus la situation s'embrouillait.

À deux reprises, il avait rejoint Carole et Thierry au salon à l'heure du journal télévisé, ce qu'il faisait rarement chez lui car il trouvait les informations généralement sinistres ou ennuyeuses. Il espérait que cela lui permettrait de collecter de nouvelles pièces du puzzle qu'il s'efforçait de reconstituer depuis son arrivée.

Mais dans ce qu'il vit et entendit, rien ne différait vraiment de ce qu'il connaissait, si ce n'est le visage du présentateur, qui lui était inconnu.

Il découvrit néanmoins l'existence d'une chaîne locale, *La Roche TV*, où il était souvent question d'un certain Armand II, également désigné par le titre de doge. Apparemment, cet homme était une sorte de roi ou de président.

Bien que n'étant pas féru de politique, Marin était certain de ne jamais avoir entendu parler de lui ! Il avait donc interrogé son oncle et sa tante à ce sujet.

« N'hésitez pas à répondre à ses questions, y compris les plus surprenantes, leur avait recommandé le docteur Funkel. Cela l'aidera à se reconnecter avec la réalité. »

– Après la Seconde Guerre mondiale, expliqua patiemment Thierry, La Roche d'Aulnay a acquis le statut de ville libre rattachée à la France, devenant ainsi le troisième plus petit État indépendant d'Europe, après le Vatican et Monaco. Cela lui a permis de retrouver le statut qu'elle avait défendu au Moyen Âge jusqu'au fameux siège de 1224 qui l'avait ramenée sous la couronne de France. Depuis sa création en juin 1951, la Principauté est gouvernée par un doge issu de la lignée des ducs Des Salines...

Abasourdi, Marin avait essayé d'organiser les informations dont il disposait. Il établissait à présent des liens avec ce que lui avaient dit le chauffeur de taxi et l'agent Ribeiro. Peu à peu se dessinait une image cohérente du monde dans lequel il avait « atterri ». Oui, c'était le mot, il avait vraiment la sensation d'avoir été parachuté sur une autre planète dont l'apparence était traîtreusement proche de la sienne.

– Tu es prêt? répéta Thierry.

– On y va quand tu veux, dit-il à son oncle en enfilant son blouson.

Thierry prit ses clés et déposa un baiser sur le front de sa femme.

– À tout à l'heure, chérie. On sera rentrés pour le dîner.

Ils traversèrent la place de Verdun pour gagner la rue Albert-1er, qu'ils descendirent avant de bifurquer rue Gargoulleau, puis rue Saint-Yon.

Tout en marchant, Marin regardait avidement autour de lui. Il avait la curieuse impression de voir la ville pour la première fois. Pourtant, il la connaissait comme sa poche, c'était ici qu'il vivait depuis sa naissance! Mais si les rues, leur disposition, la pierre blanche, les tuiles rousses et l'architecture des maisons lui étaient familières, il n'en ressentait pas moins la sensation que *quelque chose* avait changé. Le problème, c'est qu'il était incapable de trouver quoi. C'était impalpable, indéfinissable. Même la qualité de l'air qu'il respirait lui paraissait différente. Il faisait frais et un pâle quartier de lune montait dans le ciel encore clair.

– J'aime beaucoup cette saison, déclara Thierry comme pour lui-même. C'est si beau quand les feuilles jaunissent...

Et brusquement, cela sauta aux yeux de Marin. Les arbres ! Bon nombre de ceux qu'il avait toujours connus avaient disparu, remplacés par cette curieuse essence aux feuilles en forme d'éventail qu'il avait aperçues à son réveil dans le parc.

– Tu peux me rappeler le nom de ces arbres ? demanda-t-il à son oncle.

– Ginkgo biloba, répondit Thierry d'un ton tranquille. Au Japon, on l'appelle aussi l'arbre aux mille écus. Il symbolise croissance, prospérité, charme et tranquillité. C'est l'emblème de Tokyo.

– Ah, oui. Merci.

Si Marin savait ce qu'était un ginkgo, il était en revanche certain qu'il n'y en avait jamais eu le long des avenues de La Roche d'Aulnay ! Et il était impossible d'arracher des dizaines d'arbres pour les remplacer en quelques jours par des ginkgos apparemment centenaires. Voilà qui faisait naître une fois de plus des questions qui demeuraient sans réponse.

Pourquoi la réalité du monde qui l'entourait s'obstinait-elle à ne pas coïncider avec le souvenir qu'il en avait ?

Se pouvait-il qu'on lui ait fait subir un lavage de cerveau qui aurait altéré sa mémoire au point de lui créer de faux souvenirs ?

Marin se sentit tout à coup extrêmement découragé. Il regarda son oncle qui marchait devant lui. Sa femme et lui étaient les seules personnes qui lui permettaient de ne pas partir totalement à la dérive.

– Thierry ? appela-t-il. Je peux te poser une question ?

Son oncle lui sourit.

– Je t'écoute.

– Le flic qui est venu l'autre matin...

– Le quoi ?

– Alexandra Ribeiro...

– Ah, oui ! Tu parles de l'agent du Bureau d'Investigation.

– Elle m'a affirmé que plus personne n'utilisait de téléphone depuis plusieurs années. Tu peux m'expliquer ?

– Oh... Eh bien, disons qu'on n'appelle plus ça de cette façon parce que la technologie a évolué.

– Le problème, c'est que je n'arrive pas à me souvenir par quoi on les a remplacés, insista Marin.

– J'allais y venir. On utilise des PA, c'est l'abréviation de Phone Auxiliary.

– Et ça ressemble à quoi ?

– Un tout petit appareil qui se glisse dans l'oreille. On l'utilise chaque fois qu'une communication mentale directe est impossible, bien entendu.

– Bien entendu, répéta Marin, n'osant pas pousser ses investigations plus loin.

Ils marchèrent un moment en silence, puis Thierry annonça :

– On arrive au palais.

Le palais ? Qu'est-ce qu'il me raconte ? Qu'est-ce qu'on irait faire au palais de justice ?

Mais il reconnut la rue qui menait au musée de l'Échevinage. En apercevant au loin son mur crénelé et son beffroi, Marin sentit son cœur cogner comme un fou dans sa poitrine.

Je suis venu ici! Il y a peu de temps. Juste avant que se produise ce « trou noir »... J'en suis sûr! Je... je suis entré dans la cour. Peut-être que si je le faisais de nouveau...

– Ça ne t'ennuie pas si on fait un petit crochet par le musée? demanda-t-il d'une voix qui tremblait légèrement.

Son oncle lui lança un regard intrigué.

– Quel musée?

– Mais... celui-là! s'exclama Marin en désignant l'édifice à l'enceinte gothique.

– Ah! Tu oublies qu'à cette saison, les appartements du doge ne sont pas ouverts aux visites. Il faudra attendre le printemps.

Les appartements du doge? Qu'est-ce que c'est encore que ce délire?

– Quant à la galerie supérieure réservée aux collections, ajouta Thierry, elle est actuellement fermée pour travaux, mais devrait rouvrir à la fin de l'année. Je ne savais pas que ça t'intéressait.

Il regarda l'heure et accéléra l'allure.

– Allez, viens, ne perdons pas de temps.

Entre les deux portes du mur d'enceinte, un panonceau annonçait : *Palais ducal – Principauté de La Roche d'Aulnay.* Marin ralentit et jeta un coup d'œil à l'intérieur de la cour. Nichées dans la façade du bâtiment Renaissance en pierre blanche, quatre statues de femmes à la mode antique défilèrent sous ses yeux. Sans qu'il comprenne vraiment pourquoi, leur présence le rassura.

Elles sont toujours là, songea-t-il. *Les quatre vertus cardinales, représentation imagée du chemin vertueux que tout prince, et même tout homme, est invité à suivre.*

Pourquoi cela lui tenait-il tant à cœur? Il l'ignorait.

– Tu viens? Qu'est-ce que tu fais? l'appela son oncle, arrêté un peu plus loin au milieu du trottoir.

Marin se dépêcha de le rejoindre.

– Tu es sûr que tu te sens bien? Tu es pâle tout à coup, s'inquiéta Thierry Lenoir.

– Ça va, pas de souci.

Faisant signe à son neveu de le suivre, Thierry Lenoir traversa une avenue. Un bus venait dans leur direction.

– On va prendre la ligne 4, on arrivera plus vite.

Lorsqu'ils furent assis à l'arrière du silencieux véhicule électrique, Marin demanda d'une voix éteinte :

– Au fait, où on va?

– Voir tes parents, répondit son oncle.

18

Ils traversèrent le Gabut, un vieux quartier de pêcheurs, empruntèrent la passerelle qui enjambait l'ancien bassin des chalutiers et se dirigèrent vers un grand bâtiment dont l'architecture mêlait harmonieusement le bois et le verre. Sa silhouette élancée se découpait sur le ciel devenu plus sombre tandis que le soleil couchant incendiait les hautes parois vitrées de la façade où se reflétaient les mâts des bateaux de plaisance.

Marin connaissait bien cet endroit. *L'Aquarium*, songea-t-il. *Pourquoi m'emmène-t-il ici ?*

Sauf que ce n'était pas l'Aquarium. Le mot qui s'étalait en grandes lettres blanches à l'entrée était : Memorium. Et juste en dessous, en plus petit, il lut : Ad vitam æternam.

– On est arrivés, annonça son oncle.

Marin demeura interdit. Il se frotta les yeux, se massa les tempes et le front, rouvrit les paupières.

– Qu'est-ce que c'est ? demanda-t-il en montrant l'édifice.

– Ne t'inquiète pas, dit Thierry, il est normal que tu ne te souviennes pas de cet endroit. C'est même sans doute l'une des choses que tu as voulu oublier en premier. Le docteur Funkel nous a expliqué que si la cause de tes troubles était bien celle que nous soupçonnons, il était important de t'amener ici. Que cela pouvait t'aider.

– Memorium, qu'est-ce que ça veut dire ? Ça a un lien avec la mémoire ?

– Viens.

Ils entrèrent dans le bâtiment. L'accueil ressemblait à celui d'un hôtel de luxe : sol moquetté, éclairages aux tons chauds, comptoir en bois massif, personnel distingué, atmosphère feutrée, musique douce en fond sonore.

Une hôtesse en tailleur pourpre vint immédiatement au-devant d'eux.

– Bonsoir messieurs. Bienvenue au Memorium. Que puis-je pour vous ?

– Nous venons pour une audition, répondit Thierry Lenoir en lui remettant une clé USB.

– Très bien, merci monsieur. Pour une audition simple, préférez-vous la Visite, l'Hommage, ou le Recueillement ?

– Nous voudrions une séance complète. Celle qui comprend la REI.

– Oh, je vois. Il s'agit d'un Accompagnement. Si vous voulez bien me suivre, je vais vous conduire au studio n° 3.

La pièce dans laquelle elle les fit entrer ressemblait à un studio d'enregistrement. Elle ne comportait aucune ouverture sur l'extérieur.

Le revêtement des murs, du sol et du plafond avait été traité de manière à offrir une qualité d'écoute maximale. Une partie de la pièce était occupée par une cabine derrière laquelle se trouvait une console où l'hôtesse inséra la clé USB. La jeune femme invita ensuite les visiteurs à prendre place dans les fauteuils confortables disposés face à l'écran qui occupait le mur du fond. Puis, depuis la cabine, elle lança le programme Accompagnement en leur souhaitant « une très belle audition » et s'éclipsa.

Les lumières s'éteignirent et l'écran s'éclaira. Sur un fond ocre imitant une étoffe balancée par le vent, deux noms se détachèrent en lettres bleu marine : *Audrey et Christian Weiss*. Le cœur battant, Marin se cramponna à son fauteuil.

Il s'attendait à voir apparaître le visage de ses parents et n'était pas sûr de le supporter. Thierry posa une main sur son avant-bras et exerça une brève pression en signe d'apaisement. Ce qui s'offrit alors aux yeux de Marin ne ressemblait à rien de ce qu'il aurait pu imaginer.

Il eut très vite la sensation d'être non pas assis devant un écran, mais véritablement présent sur les lieux. Un lent travelling avant le fit tout d'abord pénétrer à l'intérieur d'un édifice semblable à un temple. Après avoir franchi un porche soutenu par deux puissants piliers, il suivit une procession qui traversait lentement un labyrinthe dessiné au sol par des dalles en pierre noire et blanche, comme il en existe au seuil des cathédrales de Chartres ou de Blois. Le cortège s'immobilisa ensuite au centre du temple où se trouvaient deux caissons de verre. À l'intérieur, on devinait les corps d'un homme et d'une femme, recouverts d'un fin drap couleur ocre.

Les personnes venues assister à la cérémonie se déployèrent tout autour, formant trois cercles enlacés, telle l'amorce d'une spirale. Personne ne parlait. On n'entendait que le bruit discret occasionné par les déplacements et les mouvements des membres de l'assistance.

Lorsqu'ils furent en place, ils se prirent les mains, formant ainsi une longue chaîne humaine autour des défunts, puis renversèrent la tête en arrière. Au-dessus d'eux, une coupole bleu nuit ornée de motifs évoquant la danse des électrons autour du noyau s'ouvrit lentement sur le ciel nocturne, à la manière d'un observatoire. Tandis que tous gardaient les yeux fixés sur les étoiles, au sol, le socle de marbre sombre sur lequel reposaient les deux caissons s'illumina soudain de l'intérieur comme s'il prenait vie, et les veines de la pierre palpitèrent en se teintant de lueurs orangées. La foule rassemblée autour du tombeau commença alors à onduler au rythme de ses pulsations et la longue chaîne humaine ondoya d'une extrémité à l'autre dans un mouvement fluide et continu.

Ce qui se passa ensuite était tellement incroyable que Marin eut du mal à croire qu'il ne s'agissait pas d'effets spéciaux. La fine étoffe qui recouvrait les deux corps se souleva et s'évapora dans l'air. Étendus dans leurs cercueils translucides, Audrey et Christian Weiss offraient un visage serein aux yeux clos, sur lequel se devinait un léger sourire.

En les voyant, Marin eut l'impression qu'une force invisible lui écrasait la cage thoracique. Il se raidit dans son siège et se mit à respirer par à-coups tandis qu'une sueur glacée dégoulinait dans son dos.

– Le plus beau est pour maintenant, chuchota son oncle en lui tapotant le bras d'un geste qui se voulait rassurant. La Recomposition Énergétique et Informationnelle...

Le plus « beau » ? se répéta Marin qui jugeait cette vision insoutenable. Il envisagea un instant de fermer les yeux, mais la curiosité l'emporta.

Sous ses yeux ébahis, un double rayon lumineux surgit du corps de ses parents et s'éleva en tourbillonnant. Les deux traits de lumière montèrent jusqu'au cœur de la coupole, s'enroulant l'un autour de l'autre en une danse sans fin. Ce fut comme si cette union décuplait leur puissance. Ils jaillirent hors du temple et se perdirent dans la voûte céleste, happés par les étoiles.

Et brusquement, tout s'éteignit. Dans la pénombre, les participants baissèrent un à un la tête et resserrèrent le triple cercle jusqu'à ce que leurs épaules se touchent.

Puis la lumière revint. La coupole était à présent refermée. Sur le socle de marbre noir, les sarcophages de verre étaient vides. Les corps avaient disparu. Personne ne semblait s'en étonner.

– Qu'est-ce qui... commença Marin, stupéfait.

– Chut ! ordonna son oncle. Écoute.

Un son étrange fusa alors du tombeau. Plus mélodieux qu'un simple bruit, il ne s'agissait pourtant pas tout à fait d'une musique. Cela ressemblait plutôt à un chant, ni humain ni animal, une longue mélopée envoûtante. Marin n'avait jamais rien entendu de pareil. Il en fut bouleversé et ses yeux se remplirent de larmes. Son oncle lui sourit en hochant la tête. Il semblait inexplicablement heureux.

– C'est la musique de tes parents, murmura-t-il, la signature de leur passage sur terre, leur empreinte, le rayon vert de leur âme, ce qu'ils nous ont laissé de leur essence. Tu pourras venir la réécouter autant que tu voudras.

Marin ne répondit rien. Des larmes brûlantes ruisselaient sur ses joues. Il les essuyait frénétiquement du revers de sa manche. Son oncle l'arrêta d'un geste.

– Non, fit-il avec douceur. Laisse-les couler. Ce sont elles qui les maintiennent en vie.

Devant eux, l'écran était noir à présent et les lumières s'étaient rallumées dans la salle. Seul subsistait le chant, dont le volume décrut progressivement.

Lorsqu'il se fut éteint, Marin et son oncle se levèrent et sortirent à pas lents. Ils traversèrent l'accueil où l'hôtesse se contenta de les saluer d'un signe de tête, puis ils gagnèrent la sortie sans un mot.

Il faisait à présent complètement nuit.

Marin prit une longue goulée d'air. Il était frais et lui piqua les narines. Cela l'aida un peu à remettre ses idées en place.

– Il est quelle heure ? demanda-t-il.

– Bientôt vingt heures. Carole nous attend pour dîner. Tu as faim ?

– Je ne sais pas.

Dans le bus qui les ramenait place de Verdun, Marin appuya sa tête contre la vitre et regarda le paysage défiler sans y prêter réellement attention.

Les lumières de la ville, les yachts sagement rangés dans les bassins du vieux port, la grosse tour de l'Horloge, ancienne porte de la ville fortifiée, les cafés des quais aux terrasses encore bondées, faisaient partie de son univers depuis toujours. Alors pourquoi, au milieu de ces éléments immuables, certaines données avaient-elles déraillé ? Pourquoi avait-il la pénible sensation qu'une partie de la réalité lui *échappait* ? Machinalement, il se passa la main sur la nuque. Il ressentait un picotement agaçant à cet endroit.

– Je suis fier de toi, tu sais, déclara Thierry, rompant soudain le silence qui s'était installé. Tu vas t'en sortir, j'en suis certain.

Marin ne sut quoi répondre. Il aurait aimé être aussi confiant que son oncle. Celui-ci lui fit signe de se lever.

– On descend là.

En s'engageant derrière Thierry dans l'allée centrale du véhicule, Marin heurta sans le vouloir un passager qui descendait au même arrêt.

– Excusez-moi…

– Je vous en prie.

L'homme le dépassa et sauta sur le trottoir dès l'ouverture des portes. Il ne paraissait pas très vieux mais ses cheveux étaient tout blancs et coupés ras. En le regardant s'éloigner, Marin fut soudain secoué par un frisson désagréable. Une pensée le traversa, qui mit ses sens en alerte.

Je connais ce type… J'ai l'impression de l'avoir déjà vu. Mais où ?

III

L'homme marchait le long de la promenade mal éclairée par les trop rares réverbères lorsque la voiture ralentit et s'arrêta à sa hauteur. La portière arrière s'ouvrit de son côté. Il monta et prit place sur la banquette. Le véhicule redémarra lentement.

– Récupération du sujet 2 effectuée, annonça Miller.

– Bien. Pas de difficulté particulière ?

– Juste un imprévu.

Proteus se raidit.

– Quel genre d'imprévu ?

– Un individu inconnu a subtilisé son téléphone portable.

– Un individu inconnu ?

– Un petit voleur à la tire. Nous l'avions repéré, mais ignorions ses intentions exactes. Il a été rapide.

– Ne me dites pas que vous l'avez laissé filer ?

– Patrouilleur 6 l'a suivi pendant que nous nous occupions du sujet 2, mais il y a eu un... incident.

– Un incident, à présent ?

161

Le ton de Proteus, faussement calme jusque-là, devenait de plus en plus aigre. Miller poursuivit néanmoins :

– Le voleur a ensuite agressé une jeune femme devant un restaurant avant d'être rattrapé et plaqué au sol par... hum, quelqu'un.

– Soirée mouvementée, il semblerait, ironisa Proteus. Des infos sur ce quelqu'un ?

– Eh bien, justement. Je vous ai préparé un rapport.

Miller sortit un document de sa sacoche et le remit à Proteus qui le parcourut rapidement. Il eut un mouvement de surprise, suivi d'un bref soupir d'exaspération.

– Ah ! Je vois. Et ensuite ?

– Patrouilleur 6 et Patrouilleur 2 ont intercepté le voleur une demi-heure plus tard alors qu'il rentrait chez lui et ont récupéré le téléphone du sujet 2. Le voici.

L'homme lui tendit un smartphone.

– Bien, fit Proteus en le glissant dans sa poche. Qu'en est-il de la fille ?

– Aucun problème. Même profil que le sujet 1.

– Parfait. Alors suivez la procédure habituelle.

La voiture se rangea sur le bas-côté. Le chef des Patrouilleurs s'apprêtait à descendre lorsque la main de Proteus jaillit et crocheta son avant-bras, refermant sur lui des doigts aussi puissants que des serres de rapace.

– Que ce genre d'incident ne se reproduise pas, Miller. Me suis-je bien fait comprendre ?

19

Le capitaine Calcavechia venait de raccrocher lorsque le lieutenant Girard entra dans le commissariat et se dirigea droit vers lui.

– Ah, je te cherchais ! dit le capitaine. Du nouveau à propos de Marin Weiss ? J'aimerais qu'on avance sur ce dossier, on n'a pas que ça à faire.

– Négatif. Deux commerçants pensent l'avoir aperçu d'abord au centre ville, du côté du musée de l'Échevinage, et un peu plus tard se dirigeant vers la gare, mais ils ne sont pas sûrs à cent pour cent que c'était lui.

– La photo date de quelques mois, à cet âge-là on change vite. Ce doit être pour ça. Vous avez récupéré son PC ?

– Bernard bosse dessus. On aura son rapport demain soir.

– Bon. La gare, tu dis. À mon avis, le gamin en avait marre de ses vieux, il s'est fait la malle et à

l'heure qu'il est, il est loin d'ici. Il a dû organiser sa
fugue longtemps à l'avance et je ne serais pas étonné
qu'il n'ait pas l'intention de revenir.

– Peut-être. Seulement, on a un problème.

– Ah oui ? T'as décidé de ne m'apporter que des
mauvaises nouvelles aujourd'hui ?

– Un autre gamin a disparu. Même âge, même
lycée. Bizarre, non ?

– Un copain à lui ?

– C'est une fille. Apparemment, ils ne se connaissaient pas, mais on va vérifier.

– Et merde... Qu'est-ce qu'ils ont, ces mômes ?

20

Alexia souriait dans son lit en pensant à Sean. Le jour qui s'immisçait entre les volets lui indiqua qu'il était largement l'heure de se lever. Elle se redressa, et, aussitôt, se laissa retomber sur le matelas en grimaçant de douleur. Son coude lui faisait un mal de chien !

Elle se leva, avec précaution cette fois, et alla l'examiner dans la salle de bain. Il avait pris une vilaine teinte bleuâtre et était enflé. Elle essaya de le déplier : impossible.

OK, le coup classique. Tant que c'est chaud, on ne sent pas trop la douleur et le lendemain ça craint. Mince ! Si je tenais l'abruti qui m'a fichue par terre, j'en ferais de la colle ! Et dire que ça ne serait pas arrivé si Michel ne m'avait pas appelée...

Tant bien que mal, elle se doucha et s'habilla en ruminant sa colère. Le directeur de la rédaction du *Magazine du Sud-Ouest* l'avait dérangée au beau milieu de la soirée pour l'informer que la parution de son article sur les TMS (ou troubles musculo-squelettiques) était reportée au mois prochain. Quand elle lui avait demandé pour quelle raison, il avait répondu que ce serait un sujet parfait pour le début de l'hiver, mais qu'étant donné la clémence de la météo, les gens avaient envie pour le moment de sujets plus sexy.

– C'est vraiment n'importe quoi! avait protesté Alexia, furieuse. Les vacances d'été sont finies depuis longtemps, tout le monde a repris le travail et beaucoup de gens sont concernés. C'est l'une des premières causes de pathologies professionnelles. Regarde au journal. Parmi tes collègues, combien souffrent d'une tendinite, de douleurs aux cervicales, de lombalgies? Ce n'est pas pour rien que le deuxième Plan de Santé au Travail a inclus le développement de la prévention de ces troubles dans ses thématiques prioritaires! Tous les secteurs d'activité sont concernés. Ces maladies sont en hausse constante depuis dix ans et coûtent huit cents millions d'euros à la sécu chaque année. Il semble que la phytothérapie et le thermalisme offrent pour l'instant les meilleures réponses pour soulager ces douleurs. Or, justement, dans notre région...

– Stop! s'était écrié Michel. Je n'ai pas dit qu'on annulait la parution, seulement qu'on la décalait, alors inutile de t'énerver. C'est un très bon sujet et tu sais qu'on aime bien travailler avec toi, même si tu es la pire enquiquineuse que...

C'est à ce moment précis que le jeune voleur s'était précipité sur Alexia et qu'elle s'était pris le gadin du siècle. Michel avait dû se demander ce qui se passait. Il fallait qu'elle le rappelle!

Elle attrapa son téléphone et appuya sur l'icône « contacts » pour ouvrir le répertoire, puis se rendit à la lettre « M ». Elle fit ensuite glisser son index le long de l'écran pour faire défiler la liste, mais les noms qui apparurent lui étaient inconnus.

Qu'est-ce que c'est que ce bazar ?

Elle n'eut pas besoin de manipuler longtemps l'appareil pour comprendre que ce n'était pas le sien. C'était le même modèle, de la même couleur, mais il appartenait à quelqu'un d'autre.

Mon agresseur ? se demanda-t-elle. *À moins que je ne sois pas la première qui ait été dépouillée par ce jeune homme hier soir.*

D'abord décontenancée, elle eut bientôt une idée. Revenant à la liste des contacts, elle retourna à la lettre M, puis descendit jusqu'à ce qu'elle trouve ce qu'elle cherchait : « Mon numéro ». *Bingo !*

Elle opta aussitôt pour la fonction « appeler » et colla le téléphone contre son oreille. Au bout de quatre sonneries, elle tomba sur la messagerie.

– *Salut, c'est bien mon phone, mais je peux pas répondre. Vous savez ce qu'il vous reste à faire. À plus !*

Une voix féminine, plutôt jeune. Alexia n'était pas plus avancée. Quelle poisse ! Et ce bras qui la faisait souffrir, il fallait qu'elle s'en occupe rapidement. Elle se leva, alla fourrager dans les papiers qui encombraient son bureau et finit par en extraire une carte de visite. Elle la contempla avec attendrissement, puis composa le numéro de téléphone qui y figurait.

– *Déjà réveillée, miss ?* demanda une voix qu'elle eut plaisir à entendre. *Comment ça va ?*

– J'ai un téléphone qui n'est pas le mien et un bras à moitié nase, mais à part ça, c'est top.

– *Comment ça, un téléphone qui n'est pas le tien ?*
– Je t'expliquerai.
– *Tu es chez toi ?*
– Oui.
– *J'arrive.*
– Je te préviens, le programme n'est pas très sexy...
– *Quel genre ?*
– Hôpital, plus commissariat.
– *Je vois.* Grey's Anatomy, *suivi d'*Inspecteur Barnaby. *Pas de souci, j'adore.*

Fêlure du coude. La radio ne laissait absolument aucun doute.

Alexia ressortit de l'hôpital le bras maintenu par une attelle et l'humeur sombre, malgré la présence réconfortante de Sean à ses côtés. Comme prévu, ils enchaînèrent par une visite au commissariat où l'on enregistra sa plainte pour vol avec agression, appuyée du témoignage de Sean. Elle en profita pour remettre au brigadier qui les reçut le téléphone récupéré à la place du sien.

– Le gamin doit avoir un filon pour écouler les portables. Ces modèles-là sont très courus, soupira le policier.

Il nota la description que Sean lui fit du voleur, mais ne leur cacha pas qu'il n'avait pas beaucoup d'espoir de le retrouver.

– Vous avez une bonne assurance ? demanda-t-il avec un demi-sourire.

– Ça ne m'amuse pas, vous savez? rétorqua Alexia, glaciale.

À ce moment précis, le capitaine Calcavechia passa dans le couloir. Apercevant la chevelure flamboyante d'Alexia, il glissa la tête dans l'encadrement de la porte.

– Un problème, brigadier?

– Mademoiselle a été agressée hier soir. Encore un vol de portable.

Alexia se tourna vers le nouvel arrivant qui la dévisagea avec intérêt.

– Vous êtes blessée? s'enquit-il aimablement en pénétrant dans le bureau.

– On m'a fichue par terre pour me piquer mon téléphone.

– Et ça, qu'est-ce que c'est? s'étonna le capitaine en désignant le mobile posé devant elle.

– L'ami de mademoiselle, ici présent, a rattrapé le voleur et l'a un peu « secoué » avant de le laisser filer. Il a récupéré ce téléphone, manque de pot ce n'était pas le bon, expliqua le brigadier en tendant la main vers l'appareil.

– Stop! On ne touche plus à rien, l'arrêta son supérieur. Il doit y avoir une douzaine d'empreintes digitales là-dessus, mais avec un peu de chance on tombera sur celles de notre voleur... à condition que vous arrêtiez de les effacer!

– Désolé, chef.

– Vous me mettez ça dans un sachet plastique et vous l'envoyez au labo. On sait à qui il appartient?

– Je me suis posé la question, intervint Alexia. La personne a enregistré son propre numéro dans son répertoire pour ne pas l'oublier. Je l'ai composé.

169

Malheureusement, elle ne précise pas son nom dans le message de son répondeur. Apparemment, c'est une jeune fille.

Calcavechia lui lança un regard admiratif.

– Vous auriez dû être flic, observa-t-il avec un petit rire.

– On me l'a déjà dit, répondit Alexia en prenant la main de Sean.

– À partir du numéro, on retrouvera l'identité de l'abonnée, annonça le capitaine.

– Parfait. Mais ça ne me rendra pas le mien.

– En effet.

– Bon, on va y aller.

Calcavechia l'arrêta d'un geste.

– Juste une minute. Je suis désolé, seulement vous avez tous les deux touché le portable. Je vais devoir faire relever vos empreintes.

– Je déteste les commissariats, déclara Alexia une demi-heure plus tard. On y entre comme victime et on en ressort presque suspect !

Elle s'éloignait avec un tel empressement que Sean avait du mal à l'accompagner.

– Je ne sais pas quelle est la suite du programme, mais apparemment on n'a pas de temps à perdre, dit-il sur un ton prudent.

Alexia s'arrêta et répondit en rougissant légèrement.

– Excuse-moi, je suis pénible quand je m'y mets. Je voulais aller m'acheter un nouveau téléphone, tu as sans doute mieux à faire.

– Bien sûr, je t'emmène déjeuner, c'est exactement ce dont tu as besoin.

Ils étaient arrivés à la voiture. Il lui ouvrit la portière.

– Tu crois ? Et tu m'emmènes où ?

– Oh, dans une très bonne maison, qui devrait te plaire.

– Mais encore ? demanda Alexia.

Sean se pencha vers elle et l'embrassa avant de répondre :

– Nous allons chez Zacharie Speruto. Je suis certain qu'il sera enchanté de faire ta connaissance.

21

Je m'appelle Marin Weiss, j'ai dix-sept ans, j'habite à La Roche d'Aulnay, mes parents sont morts dans un accident et je n'ai jamais eu de sœur. Je m'appelle Marin Weiss, j'ai dix-sept ans, j'habite à La Roche d'Aulnay, mes parents sont morts...

Ces mots avaient tourné en boucle dans sa tête toute la nuit et il n'avait pratiquement pas dormi. Pourtant, au lever du jour, malgré la fatigue occasionnée par l'insomnie, il eut l'impression que ses idées étaient plus claires, comme lorsqu'on retrouve peu à peu ses esprits après avoir perdu connaissance. Jusque-là, il avait eu un mal fou à se concentrer, plongé malgré lui dans un état second qui l'empêchait d'agir et de prendre des décisions. Mais cela s'estompait peu à peu. Il en fut soulagé.

Il se leva, ouvrit les rideaux et entreprit d'explorer sa chambre. Il commença par le bureau, fouilla ses tiroirs puis examina le contenu des étagères.

Il mit la main sur un agenda – différent de celui qu'il utilisait habituellement – et l'ouvrit. Son nom y était mentionné, ainsi que son adresse, du moins celle des Lenoir, et c'était bien son écriture que l'on retrouvait au fil des pages. Un emploi du temps avait été collé à l'intérieur. L'en-tête indiquait : Lycée Schrödinger – Classe de 1re 5 classique. L'appellation de la classe était étrange, mais c'était le bon établissement. *C'est déjà ça*, nota Marin. Cependant, lorsqu'il examina le contenu du planning, son cœur rata un battement.

L'intitulé des cours ne ressemblait pas à ce qu'il connaissait : Histoire des technologies et de leurs applications, Langues et langages, Arts et société, Éducation aux valeurs, Mathématiques, sciences et techniques, Sport et santé. Il s'agissait plutôt de modules, de branches disciplinaires dont certaines comportaient des options, comme Humanisme, humanitaire et humanité, Respect de l'autre, respect de soi, ou encore Histoire des sciences.

D'autre part, des séances de Perfectionnement étaient prévues. On avait précisé à côté, à la main : « maths + physique/chimie ». Marin reconnut les matières qu'il avait toujours eu besoin d'approfondir. Chaque journée de cours comportait également des moments de Relaxation. Rien à voir avec l'emploi du temps qui avait été le sien depuis début septembre. *Ça m'aurait étonné, aussi !*

Marin chercha des yeux le cours prévu ce jour-là en première heure. Dans son souvenir, c'était histoire-géo, mais évidemment, il s'attendait à une modification. Pourtant, ce qu'il découvrit dépassa largement tout ce qu'il était capable d'imaginer. Il en resta bouche bée.

Communication télépathique :
entraînement, niveau 3.

Il secoua la tête en grimaçant.
D'accord. En fait, je m'appelle Harry Potter et je viens d'être admis à Poudlard. Voyons, quel jour a lieu le cours de défense contre les forces du mal ?
Il ferma les yeux et passa les mains dans ses cheveux, les plaquant en arrière du front jusqu'à la nuque. Cependant, lorsqu'il rouvrit les paupières, le document qu'il avait sous les yeux était rigoureusement identique. *Hallucinant ! Qu'est-ce que tout ça veut dire ?*
Il s'ébroua. Pour commencer, le meilleur moyen d'en apprendre davantage était de se rendre au lycée. Peut-être avait-il été transformé en établissement pilote ? Il pouvait par exemple s'agir d'un programme expérimental testé sur une période donnée. Oui, c'était sans doute ça. Il l'avait oublié, voilà tout. Mais quand il serait là-bas, quand il s'immergerait de nouveau dans ce contexte, il retrouverait la mémoire. Tout lui reviendrait. Oui. Forcément.
Sauf que, bien sûr, il n'y croyait pas une seule seconde. Il savait pertinemment que tout continuerait à être très *bizarre*. Il voulait juste voir jusqu'où.

Lorsque Carole et Thierry entrèrent dans la cuisine vingt minutes plus tard, ils le trouvèrent assis devant une tasse de café, le teint pâle et les traits creusés par le manque de sommeil.
– Je retourne au lycée, leur annonça-t-il.

Son oncle et sa tante échangèrent un bref regard.

– Tu es sûr de ne pas vouloir te reposer encore un peu, tu as l'air fatigué, dit doucement Carole.

– Non, rétorqua Marin, le visage buté. Il faut que je sorte. Que je m'aère la tête.

– Il a raison, intervint Thierry. Retourner en cours lui fera du bien. Il est temps pour lui de reprendre une vie normale.

Marin laissa échapper un ricanement.

– C'est ça, ouais, comme tu dis, *une vie normale...*

Son oncle ne releva pas.

– Tu souhaiterais retourner en cours quand?

– Aujourd'hui. Ce matin. Le plus tôt possible.

Marin s'interrompit, stupéfait. C'était la première fois de sa vie qu'il prononçait une énormité pareille. Avoir hâte d'aller au lycée, lui? C'était le monde à l'envers!

– Bien, aucun problème, fit Thierry d'un ton tranquille. Passe une bonne journée, mon grand. Ah, pendant que j'y pense : un agent du BPI viendra rapporter ton PC dans la journée. Nous l'avions confié à l'agent Ribeiro pour les besoins de l'enquête.

– OK, dit Marin.

– J'y vais. À ce soir.

Thierry embrassa sa femme et partit travailler.

Marin se leva, passa rapidement sa tasse sous l'eau, la posa sur l'égouttoir et jeta un œil à la pendule.

– Bon, je prépare mes affaires et je file, dit-il à Carole sans la regarder.

– Tu ne manges rien?

– Pas faim.

– Il y a un trousseau de clés et un peu d'argent sur le meuble de l'entrée, l'informa sa tante. C'est pour toi. Tu trouveras aussi un PA, en cas de besoin.

Marin répondit d'un simple signe de tête et quitta la pièce. Il lui fallut un petit moment pour se rappeler ce qu'était un PA. Le fameux Phone Auxiliary. En effet, il pourrait lui être utile.

Il alla jusqu'au guéridon de l'entrée, ramassa les objets qui lui étaient destinés et retourna dans sa chambre pour y examiner l'appareil. Il ne ressemblait pas du tout à un téléphone. Il s'agissait d'une oreillette translucide et incolore qui lui rappela les prothèses auditives utilisées par les malentendants. Rien à voir avec un smartphone qui lui aurait permis de lire le QR code tatoué sur sa nuque.

Moi qui espérais trouver un moyen de savoir quel type de données contient ce satané code. C'est flippant d'avoir ça sur soi et de ne pas savoir ce qu'il y a dedans !

Avec une hâte fébrile, Marin enfouit le PA dans l'une des poches de son jean. Il fourra ensuite l'agenda, une poignée de stylos et un bloc-notes dans son sac et se mit en route. Il prit le bus pour arriver plus vite et poussa un soupir de soulagement en apercevant la bâtisse tout en longueur qu'il fréquentait depuis plus d'un an. Le seul changement qu'il put noter fut l'état de la façade, elle avait été ravalée récemment. Lorsqu'il traversa la grande cour pour gagner le bâtiment, il remarqua que les marronniers et les pins qui l'ombrageaient avaient disparu. À la place, il reconnut les fameux ginkgos, avec leurs feuilles en éventail couleur d'or à cette saison.

Il vérifia le numéro de la salle sur l'emploi du temps, puis se dirigea vers l'escalier principal. Il arrivait au premier étage lorsqu'il croisa deux garçons qui s'immobilisèrent en le voyant. Un grand type blond, taillé comme un rugbyman, et un rouquin malingre qui flottait dans ses vêtements.

– Marin ? Tu es revenu ! s'exclamèrent-ils.

Marin ouvrit la bouche, mais aucun mot ne franchit ses lèvres.

– Toute la classe s'est fait du souci pour toi, tu sais, l'informa le rouquin.

– Avec ces histoires de disparitions, on n'a pas pu s'empêcher de s'imaginer...

– Tu as l'air crevé. Ça va ?

Une fois de plus, Marin se sentit chanceler. Il n'avait jamais vu ces deux gars.

– Ça va.

Il fut incapable d'ajouter quoi que ce soit.

Le grand costaud lui tapota amicalement le haut du bras.

– En tout cas, on est super contents de te voir.

Marin regarda le bout de ses baskets.

– Ouais. Moi aussi, les mecs. Moi aussi.

Il les suivit en silence jusqu'à la salle de cours.

Le professeur arrivait à ce moment-là. Apercevant Marin, il marqua un temps d'arrêt. Il fit signe aux deux autres d'entrer et le retint dans le couloir.

– Bonjour Marin, je suis content de vous revoir parmi nous, déclara-t-il tout en l'examinant avec une attention un peu trop marquée.

Ne sachant quelle contenance prendre, Marin se contenta de hocher la tête.

– Votre famille nous a informés de ce qui vous était arrivé, ajouta-t-il. Ne vous inquiétez pas, nous allons faire le nécessaire. Pour commencer, je pense qu'il serait préférable que nous procédions à un test pour voir où vous en êtes.

Marin dévisagea cet homme au long visage fin, aux cheveux argentés et aux yeux bleu pâle. Lui non plus, il ne l'avait jamais rencontré.

– Excusez-moi… Vous êtes monsieur… ?

Le professeur eut un léger mouvement de surprise vite réprimé.

– Oh ! Pardonnez-moi… Étienne Broch, votre formateur en communication télépathique.

Marin enregistra l'information sans broncher.

– Vous parliez d'un test ?

– Eh bien… Voyez-vous, le choc que vous avez subi ayant perturbé votre mémoire, il se peut que certains savoirs ou savoir-faire que vous possédiez jusque-là aient été, si je puis dire, mis temporairement entre parenthèses, et que vous ne soyez plus tout à fait en mesure de les mobiliser à votre gré pour le moment. Ça n'est qu'une hypothèse, aussi serait-il bon de nous en assurer, si vous êtes d'accord.

Mal à l'aise, Marin se passa la main dans les cheveux.

– Et ça consiste en quoi ?

– Oh, c'est très simple, nous allons procéder comme d'habitude. Vous avez toujours été un excellent *agent*. Je vais vous adjoindre un *percipient* à votre mesure et nous commencerons par des exercices de base. Suivez-moi, s'il vous plaît.

Percipient… Quelqu'un avait employé ce mot devant lui il n'y avait pas longtemps. Ah, oui ! Cette drôle de fille qui ressemblait tant à Alexia. « Je vois que tu es un bon percipient. » Qu'avait-elle voulu dire ?

Dissimulant tant bien que mal son ahurissement, Marin pénétra à sa suite dans la salle de cours. Elle ressemblait à un laboratoire de langues et était pourvue de quatre rangées de cabines isolées les unes des autres par des cloisons en bois.

Les élèves de la classe y avaient déjà pris place. Marin aperçut le grand blond et son copain roux côte à côte. Il balaya du regard les autres cabines, mais ne reconnut qu'un petit nombre de visages, des garçons et des filles de sa classe dont il n'avait jamais été proche. À sa grande surprise, tous lui adressèrent de petits signes amicaux. Cependant, il eut beau scruter chaque cabine, il ne vit nulle trace de celui qui, sans doute, était le seul dont la vue l'aurait réconforté. Fred n'était pas là.

– Bonjour à tous, lança M. Broch. Vous l'avez sans doute constaté, votre camarade est de retour et nous nous en réjouissons. Cependant, comme vous le savez, le contact télépathique exige de nous un état émotionnel stable et tout choc physique ou psychologique entraîne des perturbations notables. Bien qu'étant encore fatigué, Marin Weiss a tenu à nous rejoindre sans tarder, ce qui est très courageux de sa part. Je vous demanderai donc de lui témoigner votre soutien et votre bienveillance, car il se peut que ses talents de sujet émetteur se soient altérés, passagèrement, cela va de soi.

Marin aurait voulu disparaître dans un trou de souris. Les regards convergeaient vers lui et, contrairement à ses camarades de classe, il ignorait ce qui allait se passer.

– Veuillez prendre place, lui dit le professeur en lui désignant le double box qui occupait l'estrade.

Marin comprit qu'il fallait qu'il entre dans l'une des cabines, fermée sur trois côtés. Il s'assit dans un petit fauteuil confortable, se retrouvant ainsi de profil par rapport aux rangées d'élèves et au professeur, ce qui leur permettait de l'observer à loisir sans le distraire.

Devant lui, contre la cloison de séparation, se trouvait une table sur laquelle on avait déposé du papier et des stylos.

M. Broch appela une jeune fille et lui désigna le second box.

– Anita, vous vous êtes distinguée récemment en tant que *percipient*, ou sujet récepteur. Je compte donc sur vos talents pour assister votre camarade.

Elle hocha la tête en signe d'assentiment. La classe était silencieuse, concentrée sur l'expérience qui allait se dérouler sous ses yeux et coutumière de ce type d'exercice. Marin, lui, sentait son cœur battre à tout rompre et un désagréable picotement se manifestait de nouveau sur sa nuque, à l'emplacement exact où il avait découvert le tatouage.

– Nous allons reprendre une série d'exercices d'entraînement à l'envoi et à la réception d'un message simple. Marin, voici une série de dessins, choisissez-en un. Après quoi vous vous efforcerez de l'envoyer mentalement à Anita, puis vous le recopierez sur une des feuilles devant vous.

Broch remit à Marin un classeur contenant une vingtaine de fiches cartonnées. Chacune comportait un dessin au tracé simple et net, noir sur fond blanc. Il s'agissait de formes standard facilement identifiables : maison, bateau, soleil, arbre, chat, voiture. Marin hésita un moment, puis choisit un château qui ressemblait au palais ducal, monument qu'il connaissait, lui, sous le nom de musée de l'Échevinage. Il sortit la fiche du classeur qu'il rendit à M. Broch, puis tâcha de faire ce qu'on lui demandait. En réalité, il aurait donné cher pour être ailleurs et avait le sentiment d'être entouré de gens plus fous les uns que les autres.

– Concentrez-vous sur l'image et envoyez-la mentalement à votre camarade, lui répéta Broch à voix basse.

Marin décida de jouer le jeu. Il se sentait à un tel point perdu qu'il avait la sensation que tout était désormais possible. Il ne pouvait plus raisonner avec les critères d'*avant*, ou d'*ailleurs*. *Ici* et *maintenant*, la donne était différente et son instinct lui soufflait qu'il avait intérêt à s'adapter au plus vite. Il se concentra donc aussi fort qu'il put sur le dessin et tâcha de « l'envoyer mentalement » à sa camarade de classe, tout en jugeant complètement délirant de s'imaginer qu'il allait transmettre la moindre information à quiconque.

Au bout d'un moment cependant, il entendit la jeune fille prendre un papier et un stylo et écrire de l'autre côté de la cloison.

– Très bien, l'informa Broch. Maintenant, Marin, reproduisez l'image sur une feuille. Il est important que vous la dessiniez, afin que non seulement votre mental, mais aussi votre corps envoient le message.

Marin sentit sa nuque le tirailler et passa plusieurs fois les doigts dessus tout en copiant le dessin du château. Il avait soudain la tête lourde, les pensées comme embrumées. Un engourdissement bienfaisant l'envahit, qui ressemblait à une légère ivresse. Ses oreilles bourdonnaient, l'isolant de son environnement extérieur comme s'il s'était trouvé sous l'eau. Il entendait le professeur lui parler, mais sa voix était lointaine, étouffée. Ses yeux ne percevaient plus que la pointe du stylo qui recopiait le dessin, passant et repassant sur les traits dans une danse hypnotique. Tout à coup, une main se posa sur son épaule et Marin sursauta.

– L'exercice est terminé, lui signifia Broch en l'examinant avec une vague inquiétude.

Hébété, Marin se renversa contre le dossier du fauteuil.

– Si vous voulez bien nous montrer tous les deux ce que vous avez respectivement émis et reçu.

Marin attrapa la fiche et tendit le bras en direction de l'assistance. Sa camarade fit de même. Face à eux, le professeur et les élèves affichaient un visage interloqué tandis que leurs yeux allaient d'une feuille à l'autre. Sur la première, tous reconnurent la silhouette du palais ducal. La seconde, en revanche, semblait les déconcerter totalement.

– Qu'est-ce que c'est que ça... murmura quelqu'un.

Marin se pencha pour voir en quoi consistait le message « reçu » par la jeune fille. En le découvrant, il eut l'impression de louper une marche.

Encore un QR code...

Ce n'était pas tout.

Juste au-dessus du dessin, sa camarade de classe avait écrit un mot dont la vue le pétrifia.

Orphan

– Le cours est terminé ! annonça Étienne Broch.

Et, d'un geste vif, il délesta la jeune *percipient* de son travail, plia le papier en quatre et l'enfonça dans la poche de son pantalon.

22

C'était plus qu'il n'en pouvait supporter. Marin prit ses affaires et se dirigea vers la sortie. Mais Broch lui barra le chemin.

– Une minute, Marin, s'il vous plaît.

Il lui fit signe d'attendre que les autres élèves soient sortis, puis déclara d'un ton qui se voulait rassurant :

– Ce qui vient de se produire n'a rien d'extraordinaire. Le cerveau humain est une mécanique extrêmement subtile et nous sommes encore loin d'en maîtriser tous les rouages. Inutile de vous inquiéter. Le message que vous avez transmis à votre camarade me semble au contraire très intéressant. Ce dessin est tout à fait inhabituel. Peut-être correspond-il à une œuvre d'art que vous auriez vue récemment ?

N'importe quoi ! Ce n'est rien de plus qu'un code-barres amélioré, pensa Marin qui ne souhaitait qu'une chose, qu'on le laisse tranquille. Il fallait absolument qu'il réfléchisse au calme.

Il se contenta de secouer la tête en signe de dénégation, dansant d'un pied sur l'autre en attendant que le professeur veuille bien le libérer.

– Pour ce qui est de vos aptitudes d'*agent*, ou *sujet émetteur*, elles me paraissent intactes. Mais il s'est produit ce que j'appellerais des *interférences* consécutives aux perturbations d'ordre psychologique et émotionnel que vous avez subies il y a peu de temps. C'était prévisible. Quelques séances d'entraînement au niveau 1, puis au niveau 2, devraient vous permettre rapidement de retrouver toute la maîtrise dont vous faisiez preuve auparavant. J'en toucherai un mot à mes collègues.

– Je peux partir ?

Marin avait conscience d'être à la limite de la politesse, mais Broch ne se départit pas pour autant de sa bienveillance.

– Je ne vous retiens pas davantage. Surtout, n'hésitez pas à venir me voir si vous avez des questions, ou si vous avez simplement envie de parler.

Marin opina du menton et se hâta de quitter la salle. La sollicitude du professeur lui semblait disproportionnée et le mettait mal à l'aise. *C'est ça, ouais ! Si tu savais quelles questions je me pose, mon pote, tu me ferais enfermer tout de suite !* Il enfila le couloir à grandes enjambées, descendit l'escalier pratiquement en courant, traversa le hall, puis la cour, rejoignit le portail qui, comme à son arrivée, était ouvert et sortit. Une fois dans la rue, il respira. Il n'aurait pas supporté de rester dans ce lycée une minute de plus. Il s'éloignait en marchant d'un pas rapide, les yeux fixés sur le trottoir, lorsque, soudain, une fille le croisa en le bousculant légèrement au passage.

– Pardon !

– Hééééé ! Tu peux pas regarder où tu...

Marin s'interrompit tout net en apercevant le visage de celle qui venait de le bousculer.

– Tessa ?

Elle marqua elle aussi un temps d'arrêt, le dévisagea, puis reprit sa course en direction du lycée, son sac serré contre sa poitrine.

Qu'est-ce qu'elle fait là ? s'interrogea Marin, abasourdi. Il se demanda toutefois s'il s'agissait bien d'elle. Après tout, c'était peut-être juste quelqu'un qui lui ressemblait.

Pourtant, durant une poignée de secondes, il avait eu l'impression que la jeune fille l'avait reconnu. Il n'en était pas certain. Mais il réalisa qu'il avait *besoin* de se dire que oui, c'était la même fille que la brune aguicheuse qu'il avait rembarrée devant le lycée. L'ex-petite amie du frère de Fred. Quelqu'un qui appartenait à sa vie d'avant. Un lien, une amarre, un amer, un point d'ancrage pour ne pas partir à la dérive.

C'était forcément elle.

C'était Tessa.

Il suivit des yeux sa silhouette qui pénétrait dans l'enceinte du lycée au pas de course. Il hésita à faire demi-tour pour tenter de la rejoindre, et poursuivit finalement son chemin. Il avait besoin de marcher, de respirer, de faire le point sans s'affoler ni s'énerver.

Il se rendit compte que son cœur battait la chamade. Il ralentit son pas et inspira lentement et profondément jusqu'à ce qu'il se calme. Il descendit l'avenue, observant ce qui se trouvait autour de lui en réfléchissant.

C'est alors qu'il avisa une affiche de l'autre côté de la rue. Elle annonçait la présence d'une fête foraine installée pour dix jours sur une esplanade réservée à ce genre de manifestations dans un quartier excentré. On y accueillait les visiteurs de dix heures à vingt-deux heures. Marin se dit qu'il ne pouvait pas trouver meilleure distraction et il sauta dans le premier bus.

Marin ne s'était pas rendu dans une foire depuis plusieurs années et il fut agréablement surpris en arrivant à la Caravane des Merveilles, une fête foraine à l'ancienne qui déployait son architecture colorée et baroque sur un vaste terrain en friche.

À la place des manèges traditionnels et des classiques autos tamponneuses, chenilles, montagnes russes, il découvrit au fil des allées des baraques aux étonnantes boiseries polychromes, des carrousels datant du début du XXe siècle, voire de la fin du XIXe, ainsi qu'une succession de stands et de roulottes en bois, superbement décorés, qui semblaient tout droit sortis d'un musée des arts forains. Dans l'air flottaient d'irrésistibles parfums de guimauve, de barbe à papa, de pain d'épices et de pommes d'amour.

Quant aux attractions proposées, elles permettaient à chacun de trouver son bonheur : palais des miroirs, ombres chinoises, bestiaire fantastique, marionnettes, jeu de massacre, prestidigitation, bonneteau, lutteurs, automates, jeux de lumière et projections murales, hypnose, roue de la fortune et mât de cocagne.

Fasciné, il déambula au son du limonaire avec l'enthousiasme et la frénésie d'un enfant qui veut tout voir et tout entendre. Le temps fila et l'après-midi était déjà bien entamé lorsqu'à l'angle d'une allée perdue au fond de la foire, il déboucha sur une de ces pittoresques roulottes tziganes que l'on nomme verdines, petites maisons de bois montées sur roues qui avançaient jadis le long des routes au pas lent des chevaux. Celle-ci mêlait le rose indien et l'orangé au mauve et au vert pomme. Sur le flanc, un large écriteau peint à la main annonçait en lettres tarabiscotées :

Mademoiselle Sibyl
Interprétation des Tarots
Passé, présent, futur :
des réponses à toutes vos questions.

Marin sourit. Il ne croyait pas aux tarots ni à l'astrologie, aux lignes de la main, aux boules de cristal. Des trucs de bonne femme. Pourtant, il restait devant la roulotte, comme subjugué. *Des réponses à toutes mes questions ? Eh bien ça, ça m'étonnerait !* songea-t-il. La porte s'ouvrit alors à la volée, le faisant sursauter, et une jeune femme aux cheveux bruns et lisses, coupés au carré, apparut sur la petite plate-forme. Elle posa sur lui des yeux couleur café ombragés par des sourcils horizontaux très marqués. Elle possédait un visage hâlé taillé à coups de serpe et un regard pénétrant qui ne vous lâchait pas facilement.

– C'est votre tour, annonça-t-elle.

– Non, non, je passais juste, protesta Marin.

189

– On ne *passe* pas devant ma roulotte, on y *vient*.
– Ça ne m'intéresse pas, je vous assure !
La voyante lui lança un regard aigu.
– Vous dites souvent le contraire de ce que vous pensez ? Montez !
Marin balança encore quelques secondes.
– Vous êtes médium, c'est ça ?
La femme haussa les épaules.
– Médium, on l'est tous ! Moi, je ne suis qu'une symbologue. Je comprends le langage des cartes, j'entends leurs mots secrets et je les retransmets. Bon, vous vous décidez à entrer ?
Oh, et puis après tout, au point où j'en suis ! se dit finalement Marin.
Et il grimpa dans la verdine.

23

Il était neuf heures trente lorsque le capitaine Calcavechia pénétra dans les locaux de la Police Judiciaire. Plusieurs dossiers l'attendaient, posés en évidence sur son bureau.

Il alla chercher un café au distributeur, puis revint s'asseoir et ouvrit la première chemise cartonnée tout en soufflant sur le liquide brûlant. Elle contenait le rapport de Bernard, l'agent spécialisé à qui il avait confié la mission de faire parler l'ordinateur du jeune Marin Weiss.

Calcavechia parcourut le document des yeux. Son collègue n'avait rien trouvé à se mettre sous la dent. Si ce n'est qu'il était certain que le disque dur du PC avait été visité un peu avant qu'il n'y fourre son nez. « *Après* la disparition de Marin Weiss », était-il précisé. Calcavechia se redressa brusquement dans son fauteuil et tendit le bras jusqu'au téléphone.

– *Déjà levé, Cal?* fit la voix du lieutenant Girard.
– *T'es où?*
– *Vol avec agression sur le parking de l'hypermarché. On s'est rendus sur zone avec Perrin. C'est plié, on rentre au bercail.*
– Tu as lu le rapport de Bernard sur l'ordi du gosse?
– *Affirmatif.*
– Tu me convoques la sœur, Noémie Weiss, dès que tu arrives. Je n'aime pas trop qu'on se fiche de nous.
– *Ça marche.*

Calcavechia referma la chemise et la mit de côté. Juste en dessous, il trouva un autre document qui venait du labo. Il concernait les empreintes relevées sur le portable volé puis récupéré par le copain de la journaliste. Outre celles qui appartenaient aux deux jeunes gens (et celles de cet abruti de brigadier!), on avait réussi à en isoler une qui était répertoriée dans le fichier central : Anthony Delmas, dix-huit ans, plusieurs fois serré pour vol avec recel. Un petit voyou de troisième zone qui trafiquait à droite à gauche, avait fait quelques mois de prison et s'était soi-disant rangé.

Calcavechia composa de nouveau le numéro de son collègue.

– Ah! J'allais justement te rappeler. Mademoiselle Weiss dit qu'elle est très occupée. Si tu veux mon avis, elle ne te porte pas dans son cœur, celle-là! Tu veux qu'on passe la voir?
– Laisse tomber, je m'en charge. Par contre, j'ai un autre boulot pour Perrin et toi. J'aimerais que vous vous y colliez tout de suite.

– *Je t'écoute.*

– Anthony Delmas.

– *Ne me dis pas qu'il a remis ça ?*

– Vous vous débrouillez pour le trouver rapido et vous me le rapatriez ici. Tu te charges de l'interroger. Il est mouillé dans le trafic de smartphones.

– *C'est lui qui a bousculé la belle rousse dont j'ai pris les empreintes ?*

– Oui, c'est lui. Alors tu le cuisines le temps qu'il faut. Je veux savoir à qui il refourgue le matos. Et tu en profites pour le faire causer au sujet du vol de l'autre soir. Je voudrais en savoir plus sur la victime.

– *Ça roule, ma poule. À plus.*

Calcavechia vida la moitié de son gobelet avant d'ouvrir le troisième dossier. Il contenait des photos de la jeune fille qui avait disparu. Une brune plutôt jolie, du genre qui n'a pas froid aux yeux. Tessa Drucker, dix-sept ans, élève au lycée Schrödinger. Ne connaissait apparemment pas Marin Weiss.

À vérifier, songea le policier. Il parcourut la liste des personnes figurant ou ayant figuré dans l'entourage proche de la jeune fille. Un nom retint son attention. Quentin Vasseur. Il ne lui était pas inconnu. Il réfléchit, puis se leva pour prendre un autre dossier. Après avoir vidé son gobelet de café, il chercha la page qui l'intéressait, la retira et la posa devant lui. Ses yeux tombèrent presque immédiatement sur ce qu'il espérait.

– Fred Vasseur, meilleur ami de Marin Weiss. Tiens donc...

Il était dix-sept heures trente. Fred venait d'enfourcher son scooter garé devant le lycée lorsqu'un type d'une quarantaine d'années à la mine pas commode le rejoignit et lui brandit sa carte sous le nez.

– Fred Vasseur ? Capitaine Calcavechia. J'aurais deux mots à vous dire.

– Qu'est-ce qui se passe ? s'inquiéta le garçon.

D'un mouvement du pouce, le policier désigna un bar situé un peu plus loin.

– Il faut qu'on parle. Ça ne devrait pas durer trop longtemps. Je compte sur votre coopération, naturellement.

Fred soupira, ôta son casque et le suivit. Ils allèrent s'asseoir à une table et Calcavechia commanda d'office deux cafés et deux verres d'eau.

– Vous avez des nouvelles de Marin ? demanda Fred. Vous savez, j'ai dit tout ce que je savais à vos collègues.

Le policier lâcha deux sucres dans son café et mélangea avec sa petite cuiller.

– Non, justement, je ne pense pas que tu leur aies tout dit, répliqua-t-il tranquillement. Tu leur as parlé de tes compétences en informatique ?

– Je comprends pas, murmura Fred en rougissant.

– Il se trouve que je viens de rendre une petite visite à mademoiselle Weiss.

Fred se racla la gorge.

– Quel rapport avec moi ?

– Nous avons eu une conversation très intéressante et elle m'a confié qu'elle avait récemment fait appel à tes services. Alors c'est simple, je voudrais que tu me racontes ce que tu as trouvé dans l'ordinateur de ton copain.

Fred pâlit. Ses yeux allaient d'un côté à l'autre comme s'il cherchait une porte de sortie. Ce flic lui déplaisait souverainement.

– Rien, prétendit-il. Que dalle.

– Tu en es sûr ?

– En regardant ses mails, j'ai juste appris que sa copine l'avait largué alors qu'il avait prétendu l'inverse. Je vois pas en quoi...

– Quand ? Quelle copine ?

– Nadia. Il y a deux mois.

– Nadia comment ?

– J'en sais rien.

– C'est une fille du lycée ?

– Ouais. Une fille de terminale.

– Et c'est vraiment tout ?

– C'est tout, je vous assure.

– Qu'est-ce que vous cherchiez ?

– Si quelqu'un lui avait donné un rencard, des trucs de ce genre.

– Et il n'y avait rien.

– Nan, confirma Fred.

Calcavechia poussa un long soupir, s'appuya négligemment au dossier de sa chaise et croisa les bras.

– Tessa Drucker, tu connais ?

Fred eut une seconde d'hésitation.

– Ça se peut. Quel rapport ?

– Tu connais ou tu connais pas ? demanda le policier avec agacement. Je te rappelle que c'est *moi* qui pose les questions.

– Je la connais. Juste comme ça. Mon frère est sorti avec elle l'an dernier.

– Ton frère Quentin ?

– J'en ai pas d'autre.

– Ça tombe bien.

Le policier fixa attentivement son interlocuteur tout en secouant la tête.

– Tu vois, Fred, y a un truc qui m'embête...

– Quoi ? fit celui-ci, sur le qui-vive.

– Il se trouve que je tombe un peu trop souvent sur toi ces temps-ci. Tu m'as pourtant l'air d'un brave garçon.

– Comment ça ?

– J'enquête sur la disparition de Marin Weiss et je découvre que tu m'as caché des choses. Je cherche un lien entre Weiss et la petite Drucker, et je tombe encore sur toi. Ça commence à faire beaucoup.

– Je comprends pas. Qu'est-ce qu'elle vient faire là-dedans, Tessa ?

– Eh bien vois-tu, il se trouve qu'elle a disparu, elle aussi. C'est bizarre, non ?

– Quoi ! s'écria Fred. Disparue ? Depuis quand ? C'est quoi, ce délire ? Vous n'allez pas imaginer que j'ai un rapport avec tout ça, non ?

Il semblait soudain paniqué. Calcavechia, lui, était imperturbable.

– Je ne sais pas, Fred, je suis comme toi, j'aimerais comprendre. J'enquête sur la disparition de deux ados. Je découvre que tu es lié à chacun d'eux...

– C'est une simple coïncidence !

– ... Je découvre que tu es lié à chacun d'eux et qu'en ce qui concerne le premier, tu n'as pas dit toute la vérité, alors... Mets-toi à ma place. Je me pose des questions, forcément.

Fred se rendit compte qu'il avait la bouche complètement sèche. Dans sa poitrine, son cœur donnait des coups de tambour.

Il avala son verre d'eau d'une traite, le reposa, puis le fit tourner entre ses doigts. Les yeux fixés sur le mouvement de rotation, il lâcha à regret :

– C'est bon. On a trouvé quelque chose. Mais je pense que vous allez être déçu.

– Ça, si tu le permets, c'est à moi d'en juger, répliqua le policier.

24

– **B**ernard?... Calcavechia à l'appareil. Dis-moi, j'ai eu ton rapport sur le PC du jeune Weiss... Oui, oui, justement, j'ai réussi à coincer les petits malins qui l'ont visité. Ils ont trouvé deux choses : plusieurs connexions au même site juste avant la disparition du gamin, via son téléphone, ainsi qu'une recherche sur Google puis Wikipédia. Non, on n'a pas retrouvé son portable, c'est l'ordi qui a permis de tracer ses dernières connexions. T'as de quoi noter? OK, la recherche portait sur *camera obscura*, oui... Sans accent... C'est ça. Et le site : orphans-project.com. Tu vois ce que tu me trouves là-dessus rapido. Je compte sur toi. Bye.

Calcavechia raccrocha. Ses yeux se posèrent alors sur un sachet en plastique qui avait été placé dans la bannette de son bureau pendant son absence. Le portable volé par Anthony Delmas. Le relevé d'empreintes effectué, le labo n'en avait plus besoin et le lui restituait.

Le policier réfléchit. D'un côté, un ado qui disparaît et plus de traces de son téléphone, de l'autre, une ado qui disparaît elle aussi et...

Calcavechia bondit.

– Bon sang !

Il ressortit le dossier de Tessa Drucker et vérifia la liste des informations dont on disposait à son sujet. Il y trouva le numéro du portable de la jeune fille.

– Comment est-ce qu'on n'a pas pensé à vérifier... ragea-t-il.

Il se souvint de son entrevue avec la jeune femme rousse. « À partir du numéro, on va retrouver l'identité de l'abonné », avait-il affirmé, très sûr de lui. Sauf qu'ensuite, ça lui était complètement sorti de la tête. Trop de boulot, trop d'affaires à traiter en même temps, comme d'habitude.

Le numéro de Tessa Drucker sous les yeux, il composa les dix chiffres sur son propre mobile et attendit, les yeux rivés au sachet plastique. Il ne se passa rien. Le portable volé resta muet. *Salut, c'est bien mon phone, mais je peux pas répondre. Vous savez ce qu'il vous reste à faire. À plus !* fit une voix à l'oreille du policier.

– T'as raison ma jolie, je sais exactement ce qu'il me reste à faire !

Il ouvrit le sachet, fourra le mobile dans sa poche et fonça au service technique.

– Faut que tu me laisses un peu de temps ! râla Bernard en le voyant débouler.

Calcavechia lui mit le smartphone sous le nez.

– Plus urgent, tu me trouves un chargeur pour ce machin-là, tu l'allumes et tu déverrouilles le clavier. J'ai besoin de vérifier un truc. Je t'attends là.

– Non, grogna Bernard.

– Comment ça, non ?

– Tu ne m'attends pas là. Tu vas faire un tour, te fumer une clope, ce que tu veux, mais tu ne restes pas à côté de moi pendant que je bosse, ça me stresse.

Calcavechia leva les mains comme quelqu'un qui se rend.

– OK. T'en as pour combien de temps ?

– Tu me laisses un quart d'heure ?

– Marché conclu.

Quand le capitaine revint, il croisa Bernard qui sortait. Il l'attrapa au vol.

– Où tu vas ?

– Détends-toi, c'est bon. Le matos est à ta disposition sur mon bureau. Je reviens tout de suite. Tu crois pas que tu devrais arrêter le café ?

Calcavechia haussa les épaules. Sans attendre davantage, il prit son téléphone et composa de nouveau le numéro de Tessa.

Cette fois, le smartphone volé se mit à sonner et à vibrer.

– Bingo ! s'exclama le capitaine en raflant l'appareil au passage.

– Merci qui ? fit une voix dans son dos.

– Merci Bernard. Bon, maintenant tu peux te remettre à ce que je t'ai demandé.

– Ben voyons !

Girard et Perrin interrogeaient Anthony Delmas depuis une heure et demie, mais ils n'avaient pratiquement rien obtenu de lui. Le jeune homme s'entêtait à nier en bloc. Ils commençaient à s'énerver quand leur chef de groupe surgit dans la salle d'interrogatoire. En voyant sa tête, ils se dirent que le môme allait morfler.

Calcavechia avait patienté dix minutes de l'autre côté de la glace sans tain, écoutant et observant le déroulement de l'interrogatoire avec une impatience grandissante. Lorsque enfin il se rua à l'intérieur, il arborait un sourire dont tous ceux qui le connaissaient savaient qu'il ne présageait rien de bon. D'un signe, il intima à ses deux collègues de s'écarter du garçon assis sur la chaise en fer et se planta face à lui, s'appuyant sur ses bras tendus, les mains à plat sur la table qui les séparait. Il y avait jeté un dossier sur lequel Anthony Delmas posa un regard vaguement inquiet.

– Bon! clama-t-il en se penchant en avant. Assez perdu de temps comme ça. Je te la fais courte, bonhomme. On sait que tu as replongé et que tu donnes, entre autres, dans le trafic de portables volés. Manque de bol pour toi, on en a récupéré un que tu venais de taxer. Le souci, c'est que ce téléphone appartenait à une jeune fille qui a disparu. On est sans nouvelles d'elle depuis quatre jours. Tu vois l'embrouille?

– J'la connais pas cette meuf, moi! protesta le garçon.

– Alors comment t'expliques qu'on ait trouvé tes empreintes sur son téléphone? aboya Calcavechia. Arrête de nous prendre pour des imbéciles, Delmas!

D'un geste brusque, il ouvrit la chemise cartonnée et étala trois photos sur la table.

– Ose me dire que tu l'as jamais vue !

Anthony Delmas jeta un coup d'œil furtif aux images.

– C'est bon... Je l'ai vue... Mais j'la connais pas, j'vous dis ! Faut me croire, m'sieur le commissaire.

– Pas commissaire, capitaine, c'est suffisant pour ta petite personne.

– Capitaine... répéta le garçon, faussement docile.

– Si jamais cette fille refait surface sous forme de macchabée, enchaîna Calcavechia, tu sais que t'es en première ligne ?

Anthony Delmas devint blême.

– C'est pas moi ! couina-t-il.

– Pas de problème, tu expliqueras ça aux Assises.

– J'suis pas un assassin, commissaire ! Je lui ai rien fait, moi.

– À part lui voler son téléphone, c'est ça ?

Le jeune homme hocha la tête.

– Bon ! s'exclama Calcavechia. Eh bien maintenant, tu vas nous raconter comment ça s'est passé. Où, quand, comment, je veux tous les détails.

Delmas eut un soupir de lassitude, comme un enfant à qui on demande de réciter une leçon. Le visage fermé, les yeux obstinément baissés, il grommela :

– Je l'avais jamais vue... Je l'ai croisée dans la rue... Elle a sorti son phone...

– Pile poil le modèle que tu écoules en ce moment, précisa Calcavechia.

– Ouais... alors je l'ai suivie. Elle m'a baladé pendant un bon moment...

– Comment ça?

– J'sais pas! Elle arrêtait pas de tourner, virer, aller par-ci, par-là. À chaque fois, elle matait son mobile, comme si elle lisait une carte, un plan, un truc comme ça. Après, elle écoutait des messages, elle avait tout le temps son phone à la main, mais elle parlait jamais et elle arrêtait pas de regarder autour d'elle... À un moment, j'ai cru qu'elle m'avait repéré. Une folle, c'te meuf. Je vous jure, commissaire...

– On te demande pas de faire des commentaires! rugit Calcavechia. Ensuite?

– Elle m'a trimballé jusqu'à la gare. Là, elle est entrée dans un photomaton...

– Il était quelle heure?

– J'sais pas. Dix-neuf heures, dix-neuf heures trente.

– Et ensuite?

– Je me suis collé à la cabine en attendant qu'elle ressorte.

– Tu avais prévu de taper à ce moment-là?

– Ouais... Mais là, il s'est passé un truc zarbi. Y a eu une drôle de lumière verte dans la cabine. J'ai entendu la fille crier et elle est tombée.

– Je te préviens, n'essaie pas de nous raconter des craques! menaça Calcavechia.

– J'vous jure, m'sieur le commissaire, c'est la vérité!

– Capitaine, pas commissaire. Et après?

– J'ai écarté le rideau du photomaton pour jeter un coup d'œil à l'intérieur. La fille était par terre, évanouie. Mais j'vous jure que j'y suis pour rien! Moi, j'ai juste profité de l'occase, j'ai récupéré son phone et je me suis cassé vite fait.

– Et tu t'imagines que je vais croire ça ?

– Comment je pourrais inventer un truc pareil ? Il faisait tout noir là-dedans. Les plombs avaient sauté, un truc de ce genre, j'en sais rien, moi ! J'ai cru qu'elle s'était électrocutée. Ça m'a foutu les jetons...

– Tu te doutes bien qu'on va vérifier. Alors si tu nous as baladés...

– C'est la pure vérité, vous verrez ! clama Delmas.

Puis, lançant au capitaine un regard de biais, il ajouta, un ton plus bas :

– C'est légal comment vos gars ils ont récupéré son phone ? Parce que si je raconte ça à la juge, commissaire...

Le sang de Calcavechia ne fit qu'un tour.

– Qu'est-ce que tu me chantes là ?

– J'sais pas... J'me renseigne. Deux mecs se pointent chez moi, me menacent, me bousculent – tenez, j'ai encore la marque, là – en me réclamant le portable de la fille. J'ai cru qu'ils allaient m'buter...

– Quels deux types ? À quoi ils ressemblaient ? s'énerva Calcavechia qui venait de remarquer l'ecchymose récente sur la joue de Delmas.

– Des mecs à cheveux blancs. En costard.

– Personne de chez nous. Arrête de raconter n'importe quoi.

– Je m'disais aussi qu'ils étaient trop classieux pour être flics...

Calcavechia se frotta les yeux et se massa le front du bout des doigts. On le sentait au bord de l'explosion. Il se tourna vers ses collègues.

– Je vous laisse finir, ça vaudra mieux... J'ai un coup de fil à passer. Quand vous aurez terminé, vous me le remettrez au frais.

– Oui, Bernard, c'est encore moi… Non, t'inquiète,
c'est juste pour te dire que je te renvoie le smartphone de tout à l'heure. J'aimerais que tu me dises
ce qu'il a dans le ventre lui aussi. Oui, tu regardes
en priorité si la gamine ne se serait pas également
connectée au fameux site orphans-project… C'est ça,
oui, une intuition… Tu me rappelles dès que t'as du
nouveau. À plus.

25

– Pour vous j'utiliserai le jeu complet : arcanes majeurs et mineurs, annonça la jeune femme assise en face de Marin.

Après avoir longuement battu les cartes, elle les étala en éventail, face cachée, puis lui demanda de tirer huit lames et de les aligner devant lui. Elle avait fermé la porte de la roulotte et le brouhaha de la foire n'était plus qu'un bruit de fond sur lequel se détachait une étrange mélodie constituée d'une unique phrase qui tournait en boucle, évoquant un chant rituel.

– Qu'est-ce que c'est ? demanda Marin en prêtant l'oreille.

Sibyl désigna l'appareil qui diffusait la musique. Une clé USB y avait été insérée.

– Mon père. Il est mort il y a cinq ans. C'est lui qui me guide, répondit-elle avec le plus grand naturel.

Cette fois au moins, Marin était à peu près en mesure de comprendre de quoi on lui parlait et il en ressentit un certain soulagement.

Il hocha la tête d'un air entendu. Sibyl retourna deux des cartes qu'il avait choisies. Sur la première, une femme dansait sur un pied à l'intérieur d'une tresse de laurier de forme ovale encadrée de quatre personnages : un ange, un aigle, un taureau et un lion.

– L'arcane *XXI : Le Monde*, dit la symbologue. La route vers l'évolution. L'ailleurs. C'est la lame qui vous représente : elle indique que vous êtes l'initiable, le postulant aux mystères, celui qui a besoin de se connaître pour maîtriser son propre univers. Mais elle est renversée. La voie que vous avez empruntée est difficile et dangereuse, vous vous sentez comme étranger à vous-même et au monde qui vous entoure...

Marin sentit un frisson le parcourir et il passa la main dans ses cheveux. Il posa l'index sur la deuxième carte. Elle représentait un homme en marche, portant un baluchon sur l'épaule et tenant un bâton à la main. Il était vêtu d'un costume moyenâgeux et d'un bonnet à grelots semblables à ceux que portaient les jongleurs ou les fous. Cette lame ne possédait pas de numéro.

– Et celle-ci ?

– Le Mat... C'est l'imprévu, le joker, l'irruption de l'irrationnel. Combiné à la lame précédente, il indique que l'adaptation au monde environnant sera une grande épreuve.

Sibyl releva soudain la tête et déclara en regardant Marin au fond des yeux :

– Vous vivez une situation de perte des repères, de grand isolement.

Il encaissa le coup.

Comment peut-elle le savoir ? Bluff ? Heureux hasard ?

L'arcane suivant montrait une main brandissant un glaive dont la pointe était ceinte par une couronne. Les yeux toujours rivés sur le jeu, Sibyl eut une moue de contrariété.

– L'as d'épée... Associé au Fou, il parle de troubles psychiques ou de forces qui agissent sur l'esprit. Vous avez des maux de tête, des pertes de mémoire?

Marin se leva en s'exclamant :

– Laissez tomber. Tout cela n'a aucun sens!

Une poigne de fer s'abattit sur son avant-bras, l'obligeant à se rasseoir.

– Vous êtes entré, vous devez écouter jusqu'au bout, décréta la voyante d'une voix rauque.

Ses prunelles brillaient d'un éclat étrange et Marin en fut presque effrayé. Dès qu'il se fut rassis, la jeune femme relâcha son étreinte et son timbre se radoucit.

– Vous croyez sans doute que c'est le hasard qui vous a mis sur mon chemin. Il n'y a pas de hasard. J'ai un message à vous délivrer et on me demande d'aller jusqu'au bout. Alors ne soyez pas stupide, nous avons peu de temps.

Bouche bée, Marin la laissa poursuivre.

– L'Hermite, figure de la Prudence, quatrième vertu cardinale. Vous êtes en danger... Soyez vigilant.

Elle s'interrompit un court instant et pencha légèrement la tête sur le côté, comme si une présence invisible lui délivrait un message en le chuchotant à son oreille.

– Elle est suivie du Diable, reprit-elle avec un débit soudain plus rapide. Quelqu'un œuvre dans l'ombre et en a après vous, mais pas seulement. Il a d'autres cibles. C'est un être double, une personne puissante, qui a la compréhension des mondes invisibles et qui n'hésite pas à voler ce qu'elle ne peut obtenir.

Elle enchaîna aussitôt avec la carte suivante.

– La Lune... Faites attention à la pleine lune. C'est une période où vous risquez d'être particulièrement vulnérable.

D'un mouvement sec du menton, elle lui désigna le jeu étalé sur la table.

– Choisissez une carte pour le recouvrir, elle donnera peut-être une précision.

Marin obéit. Sa main tremblait légèrement lorsque ses doigts saisirent la lame.

– La Justice, troisième vertu cardinale. Elle est renversée. Certaines lois de la vie ont été transgressées et vous risquez d'en être la victime.

Il ne restait plus que deux cartes.

– L'Empereur. Vous allez rencontrer quelqu'un, un homme mûr. Au début, vous serez méfiant, mais vous pourrez avoir confiance en lui. La carte est à l'envers : l'homme a été puissant mais il a été déstabilisé, c'est désormais un souverain renversé...

Sibyl s'interrompit et jeta un rapide coup d'œil par la fenêtre de la verdine. Elle semblait sur ses gardes.

– Il y a un problème ? demanda Marin.

– Non, non ! Terminons.

La vue du dernier arcane parut la soulager. Des enfants jumeaux se donnaient l'accolade sous un énorme soleil jaune à rayons multicolores.

– Le Soleil. Très belle carte, très positive. Elle indique la possibilité de la réussite. Des opportunités vont se présenter à vous, il faudra que vous vous montriez actif. La chance sera de votre côté à condition que vous vous donniez les moyens. Je vais maintenant faire la synthèse des arcanes majeurs...

Elle additionna les nombres qui figuraient sur les cartes.

– XXI plus zéro – Le Mat n'a pas de numéro – plus VIIII, plus XV, plus XVIII, plus VIII, plus IIII, plus XIX égale... quatre-vingt-quatorze, dont la réduction donne neuf plus quatre, donc... Oui, évidemment.

La symbologue retourna les cartes restantes et sortit celle qui portait le numéro XIII. En la découvrant, Marin pâlit et un frisson désagréable le secoua de la tête aux pieds. Cette lame montrait un squelette muni d'une faux, qui arpentait un champ de terre noire d'où émergeaient des mains, des pieds, des têtes et des ossements.

– L'Arcane sans nom... Certains y voient la mort. Cette carte parle avant tout de grande transformation. C'est une carte difficile, néanmoins elle ne doit pas vous effrayer. Elle promet des épreuves qui changeront la vie de celui qui les traversera.

La voyante plongea son beau regard sombre dans celui du jeune homme et rassembla la totalité du jeu au creux de ses mains.

– Vous amènerez à la lumière ce qui demeurait dans l'ombre. Mais soyez extrêmement prudent... Vous avez des questions ?

Marin cligna des yeux et se passa la main sur la nuque. Son tatouage recommençait à le picoter.

– Heu... non. Je... je vous dois combien ? bredouilla-t-il en se levant.

Debout face à lui, Sibyl tendit de nouveau l'oreille avant de lui répondre.

– On me dit que pour vous c'est gratuit. Qu'en étant venu jusqu'ici, il se peut que vous nous fassiez un don inestimable. Mais il est encore trop tôt pour le savoir.

– Bon. Eh bien... au revoir, fit Marin que ces paroles énigmatiques commençaient à fatiguer.

– Attendez ! s'écria Sybil en lui tendant une carte. Prenez-la et gardez-la sur vous, elle vous protégera et vous redonnera de l'énergie.

Marin l'examina avant de la glisser dans sa poche. C'était l'arcane numéro XI. La Force. Une jeune femme maîtrisant un lion assis à ses pieds en lui ouvrant la gueule avec les deux mains.

La deuxième vertu cardinale.

– Merci, murmura-t-il, embarrassé.

Il dégringola les marches de bois, soulagé de respirer l'air du dehors et de retrouver l'atmosphère festive de la foire. Appuyée à la balustrade de la plate-forme, la voyante le regarda s'éloigner en secouant la tête, le front soucieux. Au moment où elle s'apprêtait à rentrer dans la roulotte, un homme apparut. Il ne semblait pas très âgé, mais sa chevelure était d'un blanc uniforme.

– C'est mon tour ! clama-t-il en montant le petit escalier.

– Désolée, monsieur. Je suis obligée de fermer pour le moment, tenta Sibyl.

Mais l'homme la bouscula, la forçant à entrer dans la verdine. À la suite de quoi il poussa le verrou intérieur et ordonna sur un ton menaçant :

– Maintenant, tu vas t'asseoir bien gentiment et me répéter tout ce que tu as raconté à ce jeune homme...

IV

Le technicien déverrouilla le téléphone portable et en examina le contenu. Liste des contacts figurant dans le répertoire, textos envoyés et reçus, photos, il copia tout ce qu'il trouva. Tout en travaillant, il hochait la tête d'un air contrarié. Le patron n'allait pas être content. Non, pas content du tout.

Patrouilleur 6 et Patrouilleur 2 allaient passer un sale quart d'heure.

Ils n'avaient pas été fichus de récupérer le bon smartphone. Le voleur les avait roulés.

La tête que Proteus ferait quand il entendrait « Bonjour, vous êtes bien sur le portable d'Alexia Barrault, je ne suis pas disponible pour le moment... » !

26

Alexia n'en revenait pas.

Vingt minutes plus tôt, elle s'était présentée à la grille d'entrée du parc qui abritait les bâtiments du Seahorse Institute. Un employé était aussitôt venu la chercher et l'avait conduite à l'accueil du centre de soins. Là, une hôtesse des plus aimables lui avait demandé de remplir différents documents, puis lui avait attribué une chambre où elle avait été menée séance tenante par un groom qui s'était emparé de son sac dès son arrivée. Un peu handicapée par son bras blessé, Alexia avait grandement apprécié.

La chambre qui lui avait été attribuée était une bonbonnière dans le plus pur style cosy : haut lit à baldaquin recouvert d'un édredon à carreaux, fauteuil Chesterfield, coussins colorés, tapis moelleux, guéridon sur lequel trônaient bouilloire et service à thé en porcelaine anglaise, secrétaire en acajou, rideaux de cretonne fleurie...

Une vraie chambre de fille ! pensa-t-elle, enchantée. *Dommage que je n'y reste que trois jours.*

C'était déjà incroyable. Sans rien demander, elle avait obtenu ce qui lui tenait le plus à cœur en ce moment : découvrir le Seahorse Institute de l'intérieur !

Elle fit le tour de la chambre, laissant glisser ses doigts le long de chaque meuble et découvrant chaque objet avec émerveillement. *Y a pas à dire, être riche présente de sacrés avantages*, songea-t-elle en souriant.

Aussitôt, elle eut une pensée émue pour le mobilier de sa cabane, chiné ici ou là, bricolé et rafistolé avec les moyens du bord. C'était peut-être moins parfait, mais le moindre objet, le moindre meuble avait une histoire, était entré dans son univers à un moment précis, dans des circonstances particulières, et c'est sans doute ce qui en faisait la valeur à ses yeux.

Ici, tout était indiscutablement magnifique et coûteux, mais elle ne se voyait pas y vivre. Elle aurait eu trop peur de casser ou d'abîmer ceci ou cela. En profiter occasionnellement à titre d'invitée lui convenait très bien. Car c'est ce qu'elle était, une invitée.

– Je vous trouve charmante. Faites-moi le plaisir d'accepter d'être mon invitée le week-end prochain, lui avait dit Zacharie Speruto.

Elle n'était pas certaine d'avoir compris, et Sean était intervenu aussitôt. Se tournant vers son père avec un grand sourire, il avait ajouté :

– Quelle excellente idée ! Tu pourrais lui offrir une cure de découverte. Alexia a été très éprouvée par l'agression dont elle a été victime l'autre soir. Je suis certain que ça l'aiderait à se rétablir.

Zacharie avait eu un regard étrange, puis il avait répondu :

– Naturellement. C'est ce que je m'apprêtais à lui proposer.

Voilà comment elle s'était retrouvée dans la place. Elle se demandait ce qui s'était joué entre le père et le fils. Il lui semblait que Sean avait forcé la main à Zacharie, le mettant dans l'impossibilité de refuser. Dans quel but ? Lui faire plaisir à elle ? Régler des comptes avec son père ? Un peu les deux ?

A-t-il voulu m'éblouir en poussant son père à m'offrir une cure hors de prix ou est-il sincèrement soucieux de mon bien-être ? se demandait-elle.

Ce qui l'intriguait le plus, c'est la facilité avec laquelle Zacharie avait accepté, alors qu'elle ne lui avait pas caché qu'elle était journaliste. Lui qui, jusqu'à présent, avait tenu à travailler dans la plus grande discrétion ! Ce n'était pas très logique et elle se doutait bien que ce surprenant revirement n'était pas uniquement dû à son charme irrésistible.

Qu'importe ! Elle allait enfin savoir quel type de soins on prodiguait au Seahorse Institute et elle en éprouva un petit frisson d'excitation.

Sean, mon ange, je t'adore ! songea-t-elle en souriant.

Poursuivant sa découverte des lieux, Alexia ouvrit la porte qui donnait sur la salle de bain, luxueuse et cependant assez sobre, entièrement dans les tons ivoire et chocolat. Le carrelage mural était agrémenté d'une frise à l'antique au sein de laquelle apparaissait à plusieurs reprises un motif, à la fois discret et élégant. Il s'agissait d'un hippocampe stylisé, que l'on retrouvait également sur les serviettes et le peignoir de bain. *Le logo du Seahorse Institute...*

Revenant dans la chambre, la jeune femme découvrit sur la table de chevet un mot de bienvenue accompagné d'un cadeau : un porte-clés orné d'un petit hippocampe en argent. *Eh bien ! Je constate que la maison ne lésine pas...*

On frappa alors trois coups à la porte.

– Oui !

Tout sourire, impeccable dans son costume clair, Zacharie Speruto entra, une magnifique plante fleurie à la main.

– Room service ! plaisanta-t-il.

– Oh ! Il ne fallait pas ! Vraiment ! fit Alexia, gênée.

– Nous recevons toutes nos clientes ainsi, prétendit-il. J'espère que le porte-clés vous plaît.

– Il est... ravissant ! assura Alexia qui détestait ce genre d'objet.

– C'est juste une babiole conçue par notre designer. Nous avons hésité avec un pendentif...

– Non, non ! Un porte-clés, c'est parfait ! dit Alexia qui frémit en s'imaginant avec une telle babiole au cou.

Zacharie fit le tour de la pièce, inspectant l'ensemble en maître des lieux.

– Vous êtes bien installée ?

– Oui, oui ! C'est formidable. Vraiment, je ne sais pas comment vous remerci...

– Si vous avez besoin de quoi que ce soit, vous composez le 9, dit Zacharie en montrant le téléphone.

Il lui lança un regard qui la troubla.

Ce type est diablement séduisant, ne put-elle s'empêcher de remarquer. *Alexia, ma grande, fais gaffe. N'oublie pas que tu as le don de te mettre dans des situations problématiques. Et puis, Sean est si craquant...*

218

On frappa de nouveau à la porte. Avant que la jeune femme ait eu le temps de répondre, Sean entra avec un bouquet de fleurs. Dès qu'il aperçut son père, puis la plante, son visage se rembrunit.

– Qu'est-ce que tu fais là ? ne put-il s'empêcher de demander d'un ton presque agressif.

Zacharie eut un sourire teinté d'ironie.

– Mon travail consiste aussi à accueillir chacun de nos visiteurs, tu n'es pas sans le savoir. Je tenais à m'assurer que notre amie ne manquait de rien.

– Ça ira très, très bien... bredouilla Alexia.

– D'ici une demi-heure, quelqu'un viendra vous chercher pour la préparation aux soins, précisa Zac. Bon je dois vous quitter, j'ai beaucoup de travail. Je vous souhaite un excellent séjour parmi nous.

– Merci beaucoup, murmura la jeune femme.

Après lui avoir serré la main, il salua son fils d'un bref signe de tête et sortit, toujours très digne.

– Pfffff! souffla Sean en grimaçant. Il ne peut pas s'empêcher de faire son numéro!

– Laisse tomber! Ça n'a aucune importance, le rassura Alexia en l'attirant à elle. Tu ne m'embrasses pas?

Sean la prit dans ses bras et la serra contre lui avec fougue.

– Aïe, mon bras! gémit-elle.

– Dans trois jours, tout ça sera oublié! affirma-t-il en lui montrant son attelle.

– Si tu le dis...

27

Noémie sortait de l'agence de voyages pour prendre sa pause déjeuner lorsqu'elle reconnut la silhouette de celui qui l'attendait sur le trottoir. Songeant immédiatement au pire, elle sentit ses jambes se dérober sous elle.

– Vous... vous avez retrouvé mon frère ? demanda-t-elle d'une voix blanche.

– Pas encore. Je veux juste vérifier un ou deux détails avec vous. Ça pourrait faire avancer l'enquête.

Les épaules de la jeune femme s'affaissèrent.

– Il me semble qu'on a déjà fait le tour.

– Marchons un peu, répondit Calcavechia. Vous savez, on croit toujours qu'on a fait le tour, mais souvent, une broutille nous échappe.

– De quoi voulez-vous me parler ? Je n'ai pas beaucoup de temps.

Ils prirent la direction du vieux port et longèrent les quais.

– J'aimerais revenir sur ce qu'on a trouvé grâce à l'ordinateur de Marin.

Le policier eut l'élégance de ne pas lui rappeler l'indélicatesse qu'elle avait commise, et elle lui en sut gré.

– Le nom de ce site, Orphans Project, ne vous évoque toujours rien ?

Noémie secoua la tête.

– Non, désolée. Je n'arrête pas d'y réfléchir, mais je ne vois pas.

– Pensez-vous que ce nom pourrait désigner un groupe de musiciens amateurs qu'aurait fréquenté votre frère ?

– Pas que je sache. J'y pense sans arrêt, seulement je vous l'ai dit, je n'ai jamais lu ni entendu ces deux mots. Je suis sûre que Marin ne nous en a jamais parlé. Je n'ai pas la moindre idée de ce que ça peut être. Et ça m'obsède.

Calcavechia opina, compréhensif.

– Je suis désolé d'insister, mais des éléments nouveaux sont intervenus. Une adolescente a disparu elle aussi dans des circonstances semblables. Elle fréquentait le même lycée que votre frère.

– Oui, Tessa. Fred m'a prévenue. C'est effroyable.

– Il se trouve que juste avant sa disparition, cette jeune fille s'est connectée elle aussi à Orphans Project.

Noémie ralentit et dévisagea le policier.

– Ah bon ? Alors, ça voudrait dire...

– C'est un peu gros pour une simple coïncidence. La ou les personnes qui se cachent derrière cette adresse web ont forcément un lien avec la disparition des deux jeunes. C'est pourquoi nous faisons le maximum pour découvrir de qui il s'agit. Si jamais vous aviez une idée, s'il vous plaît, prévenez-moi.

– Bien sûr, promit Noémie.

– Ah, une dernière chose. Connaissez-vous une dénommée Nadia Legrand?

– Non. Pourquoi?

– Elle a été la petite amie de votre frère durant quelques semaines.

– Ah bon? Je vous l'ai dit, j'ignore tout de sa vie amoureuse.

– C'est Fred Vasseur qui me l'a appris. Nadia fréquente le même lycée qu'eux. Je l'ai rencontrée et nous avons eu une conversation à propos de Marin. Elle prétend qu'elle l'a quitté parce qu'elle le trouvait « trop bizarre » par moments.

– Cette fille est idiote! Marin a des défauts propres aux ados, mais il sait être charmant et est tout à fait sain d'esprit.

– Saviez-vous qu'il était sujet à des cauchemars récurrents?

Noémie le dévisagea avec étonnement.

– Pas du tout.

– À une période où ces rêves revenaient souvent, votre frère s'est confié à Nadia parce que ça l'angoissait beaucoup. D'après elle, il s'agirait d'un même cauchemar, qui le hanterait depuis l'enfance et le perturberait à chaque fois durant plusieurs jours.

– Depuis l'enfance? Mais il ne nous a jamais rien dit...

– Il semble que Marin soit d'un naturel très secret. Rien d'étonnant à ce qu'il ait préféré garder ça pour lui.

– Vous croyez que ça pourrait expliquer ses colères et ses accès de mauvaise humeur?

– Je ne suis pas psychologue. Parlez-en à un spécialiste.

– Nadia vous a dit en quoi consistaient ces rêves ?

Calcavechia s'arrêta et son regard se perdit au-delà du quai, dans les profondeurs du bassin du Vieux-Port.

– Toujours le même scénario. Marin est au bord de l'eau. La mer, un lac, une rivière, une piscine... Il regarde un enfant se noyer. Un garçon d'une dizaine d'années. Il ne peut rien faire pour le sauver. L'enfant se débat, puis meurt sous ses yeux.

– C'est affreux, murmura Noémie, atterrée.

Le policier hocha la tête, lui tendit la main.

– Bon, je dois y aller. J'ai assez abusé de votre temps. Si vous avez besoin de me joindre... dit-il en mimant le geste de téléphoner.

– Vous pouvez compter sur moi.

En rentrant au « bercail », Calcavechia tomba sur son technicien préféré.

– Ah, Bernard ! Du nouveau ?

– Oui, juste avant de se volatiliser, la gamine a utilisé à plusieurs reprises la même application sur son smartphone : E-nigma.

– Ça sert à quoi ?

– À lire les QR codes. On lance l'application de lecture, on vise le code dans le mobile, comme si on voulait le prendre en photo, ça déclenche une connexion internet et l'ouverture automatique d'une page web.

– Tu veux dire que c'est comme ça qu'elle se serait connectée à Orphans Project ?

– Absolument.

– Donc elle ne connaissait sans doute pas ce site avant, déduisit Calcavechia.

– Il y a des chances.

– Mais les QR codes ? Ils étaient où ? Comment les a-t-elle trouvés ?

– Ça, je n'en sais rien.

– Bon. Et ce site, orphans-project, qu'est-ce que ça donne ?

Bernard se gratta la tête.

– Une véritable anguille. Une URL fantôme que seuls les mômes ont réussi à choper, à croire qu'elle aurait été activée par eux ou pour eux. Apparemment, elle a été mise en service à des moments bien précis, toujours pour une durée limitée. Statistiquement, pour avoir une chance de l'ouvrir, il faudrait qu'on reste connectés vingt-quatre heures sur vingt-quatre pendant six cent vingt-trois jours.

– Pff ! fit le capitaine, impressionné. Je savais pas que t'étais aussi bon en stat. Moi j'ai toujours été nul.

– C'était juste une image... Écoute, j'ai fait une recherche sur les deux mots, *project* et *orphans*. En français, tu l'auras deviné, ça veut dire « projet » et « orphelins ». Tu crois que ça pourrait être le nom de code d'une opération terroriste ou un truc comme ça ?

– A priori, non. Je vérifierai avec les collègues, mais là, comme ça, je ne vois pas. Quant aux ados qui ont disparu, aucun n'est orphelin.

Bernard acquiesça.

– C'est ce que j'ai pensé. Alors j'ai cherché si le mot avait d'autres significations. Comme en français, l'adjectif *orphan* s'emploie pour désigner une maladie, un virus orphelin : *orphan disease* ou encore un médicament peu rentable : *orphan drug*.

225

War orphan se traduit par pupille de la nation et *to be orphaned* signifie devenir orphelin. Bref, on n'est pas plus avancés.

– Comme tu dis. Nous voilà avec un site orphelin sur les bras. Et je donnerais cher pour mettre la main sur ses enfoirés de parents, conclut Calcavechia.

Ce n'est qu'une fois rentré chez lui que, brusquement, un détail lui revint. Il bondit pour attraper le calepin dans lequel il notait en vrac différentes informations ayant trait aux affaires en cours, le feuilleta fébrilement jusqu'à ce qu'il retrouve ce qu'il avait écrit le jour où Audrey Weiss était venue déclarer la disparition de Marin. Ses yeux parcoururent avidement les mots griffonnés à la hâte.

Et tout à coup, elle lui sauta aux yeux. La fameuse phrase que le garçon avait balancée ce matin-là avant de partir de la maison : « Il y a des moments où j'aimerais être fils unique et orphelin ! »

Orphelin.

Orphan.

Cette fois, le capitaine Calcavechia sut qu'il tenait quelque chose.

L'ennui, c'est qu'il était bien incapable de dire quoi.

V

Proteus avait rassemblé la totalité des Patrouilleurs et des Laborants des équipes 1 et 2 dans la salle que tout le monde appelait le QG.

– La lune sera pleine dans trois jours, rappela-t-il. Par conséquent, je veux que chacun d'entre vous se tienne prêt à intervenir. Il est impératif que vous sachiez dans les moindres détails ce que vous aurez à faire ce soir-là. Aucune erreur ne sera tolérée, pas même une approximation. Vous devrez exécuter le programme à la lettre et faire en sorte que chaque étape soit conforme à ce que nous avons prévu. Le déclenchement de l'opération aura lieu à vingt-deux heures précises. Je vous en rappelle le déroulement : premièrement attraction, deuxièmement déconnexion, troisièmement interception, quatrièmement préparation, cinquièmement réunion, sixièmement extraction. Si tout se passe comme je l'entends, nous devrions obtenir des résultats jamais égalés. Mesdames, messieurs, je compte sur votre professionnalisme.

– *Combien de temps durera l'extraction ? demanda une Laborante.*

– *Étant donné que nous expérimenterons ce protocole pour la première fois, nous nous limiterons à vingt-quatre heures. Passé ce délai, les sujets 1 et 2 seront réinsérés en milieu d'accueil et nous les laisserons recharger leurs batteries jusqu'à la lune suivante. D'autres questions ?*

Un Laborant leva la main.

– *Que prévoyez-vous en cas de... problème ? Je veux dire, au cas où l'un des sujets ne résisterait pas à l'expérience...*

– *Vous pensez sans doute à la phase de réunion ?*

– *Oui.*

– *Vous avez raison, ce sera la plus délicate. C'est pourquoi je compte sur une vigilance maximale de votre part à ce moment-là. Nous ne pouvons pas exclure un impondérable. Mais d'après les mesures effectuées par les Patrouilleurs, la résistance des sujets est à un niveau optimal. Par conséquent, soyons confiants.*

Les yeux de Proteus se mirent soudain à briller et sa voix enfla lorsqu'il conclut :

– *Mes chers collaborateurs, ce que nous nous apprêtons à accomplir constitue une avancée sans précédent pour l'humanité. Et je ne doute pas que chacun d'entre vous se montrera digne de la mission qui lui aura été confiée dans cette extraordinaire aventure.*

Tout en parlant, il braqua sur son auditoire un regard qui dissuadait de tout commentaire.

Puis, comme un officier aurait dit « Rompez » à ses troupes, il eut un simple mouvement de tête et tous comprirent que la réunion était terminée.

28

La jeune fille sortait du lycée. Bavardant avec d'autres élèves, elle ne remarqua pas le garçon qui la guettait à proximité du portail. Dès qu'elle fut passée devant lui, il lui emboîta le pas. Tout en marchant derrière elle, il l'observait. La même chevelure courte, très brune, savamment ébouriffée. Le même corps longiligne et nerveux. Et surtout le même parfum. À présent qu'il se trouvait dans son sillage, le doute n'était plus permis : patchouli, encens, framboise, c'était bien elle.

Il appela :

– Tessa !

Elle se retourna aussitôt. Rien dans son attitude ne trahissait quoi que ce soit *d'anormal*, mais lorsque leurs regards se croisèrent, il eut la certitude qu'elle se trouvait dans une situation identique à la sienne.

– Je peux te parler ? demanda Marin.

Elle afficha une moue un peu blasée.

– On se connaît ?

– Non. *Raison de plus pour faire connaissance.*

Il avait repris mot pour mot la phrase qu'elle avait prononcée la première fois qu'ils s'étaient rencontrés. S'en souviendrait-elle ?

Elle commença par froncer les sourcils, puis eut du mal à contenir un sourire.

– Tu vas encore critiquer mes fringues ?

Marin rougit légèrement.

– Non. Il faut que je te parle, insista-t-il. C'est important.

Les filles qui accompagnaient Tessa gloussèrent.

– Bon, on te laisse. Tu nous raconteras ! dirent-elles en lui donnant de petites tapes sur l'épaule.

– C'est ça, répondit-elle avec agacement tout en leur faisant signe de s'éloigner.

– Je t'offre un verre ? proposa Marin en désignant le bar situé un peu plus bas sur l'avenue.

– Ça marche.

Ils n'échangèrent plus un mot jusqu'au moment où le serveur eut déposé deux verres de soda devant eux. Tessa approcha la paille de ses lèvres et aspira de longues gorgées. Puis elle planta son regard marron clair dans celui de Marin.

– Alors ? fit-elle.

Marin hésita. Il ne savait pas trop par quoi commencer.

– Depuis quand tu es ici ? se décida-t-il finalement à demander.

– Comment ça, ici ?

– Tu m'as très bien compris.

– Non. Je devrais ?

– Écoute, soupira Marin. Je sais qu'on s'est juste croisés une fois et que je n'ai pas été très... très

230

sympa avec toi. J'étais mal ce jour-là, j'ai dit n'importe quoi. Mais aujourd'hui, il faut vraiment qu'on discute. Et que tu me fasses confiance.

Silencieuse, Tessa l'écoutait en hochant la tête. Il se demanda si elle faisait simplement preuve de curiosité ou si elle attendait quelque chose de précis.

– Bon, OK. Excuse-moi, finit-il par lâcher bien qu'il fût visible que cela lui coûtait. Je n'ai pas été cool, je te demande pardon. Ça te convient?

La jeune fille eut un bref sourire de satisfaction.

– Ce jour-là, reprit Marin avec embarras, après les cours, il m'est arrivé un truc. Je ne sais toujours pas quoi exactement.

Tessa se redressa imperceptiblement et parut l'écouter avec plus d'attention.

– Je sais que c'est dingue... Personne ne me croit, mais je me dis que si tu es là, c'est peut-être que... Enfin, j'ai pensé que toi aussi... Parce que bon, je ne savais plus où j'en étais, tout ça est tellement... bizarre... Alors quand je t'ai vue l'autre jour... je veux dire, *ici*...

Elle le laissa s'empêtrer, puis brusquement, elle déclara :

– Ils t'ont emmené voir ce drôle de toubib, le docteur Funkel?

Le soulagement de Marin fut tel que ses épaules s'affaissèrent, lui faisant expirer d'un seul coup l'air qu'il retenait dans ses poumons.

– C'est donc bien ça, hein? reprit-il, soudain fébrile. Je ne me suis pas trompé !

– Tu l'as vu, oui ou non? insista Tessa.

– Oui. Il a dit que je faisais une amnésie partielle.

– Les mêmes conneries que pour moi.

Marin se passa la main dans les cheveux.

– *Ça* t'est arrivé à toi aussi. Ce qui veut dire que je ne suis pas dingue, tu comprends ?

Il étouffait sa voix pour ne pas attirer l'attention. Il éprouvait une joie indescriptible. Enfin les choses *collaient*, les événements reprenaient leur place, il ne se sentait plus en perpétuel décalage avec la réalité. Un poids venait d'être ôté de ses épaules. Il se redressa et respira plus librement.

– Oui. Tu peux me croire, je comprends, répondit sobrement Tessa. Moi aussi, j'ai cru que je devenais folle. La seule autre option, c'était que tous ceux qui m'entouraient avaient perdu la boule. C'est pour ça que je t'ai laissé parler en premier. J'avais besoin d'être sûre.

Ils se turent un petit moment, prenant la mesure de ce qui venait d'être révélé. Après une brève hésitation, Marin demanda timidement :

– Est-ce que toi aussi tu as... perdu tes parents ? Je veux dire, depuis que tu es ici ?

Tessa le regarda avec perplexité et acquiesça.

– J'ai l'impression d'avoir raté plusieurs épisodes de ma propre vie ! Du jour au lendemain, je me retrouve orpheline et tout le monde m'assure que cela fait déjà des mois ! Le seul problème, c'est que moi, je suis sûre d'avoir vu mes parents il y a très peu de temps. Cherchez l'erreur.

– C'est quand même étrange qu'il nous soit arrivé la même chose. Tu sais, quand on m'a annoncé qu'ils étaient morts, j'ai refusé de le croire.

– Moi aussi ! Et pourtant, depuis des années, j'avais peur que ça arrive. Je m'y étais presque préparée.

– Ah bon ? s'étonna Marin.

– J'ai... enfin, *j'avais* des parents un peu particuliers. Mon père a toujours été très immature, le genre ado attardé, qui ne pense qu'à faire la fête, picole trop, fume du shit. Ma mère était tellement amoureuse qu'elle est devenue comme lui. Depuis deux ou trois ans, je ne compte plus le nombre de fois où c'est moi qui les ai ramenés à la maison ou qui les ai collés au lit après les avoir trouvés affalés par terre dans le salon. Bref, le genre de distraction dont on se passerait bien. Ça a commencé à devenir vraiment lourd quand j'avais douze ans. C'est là que mon père a eu ses premiers problèmes au boulot. Pour oublier, il avalait des tas de trucs, liquides ou solides – des comprimés et des gélules que je prenais pour des médicaments, c'est après que j'ai compris. Ma mère ne faisait rien pour l'en empêcher. Elle l'a suivi dans ses délires, « par solidarité », disait-elle. Je les engueulais de plus en plus souvent, j'en avais marre de les voir se détruire et ça me faisait flipper. Ils me répondaient que je ne savais pas m'amuser. J'avais l'impression que c'était moi l'adulte et eux mes enfants. Il y a des jours où j'aurais donné n'importe quoi pour être ailleurs ou pour être débarrassée d'eux... Je n'en suis pas très fière, mais c'est la vérité. Et voilà qu'un soir je m'évanouis, je ne sais plus très bien dans quelles circonstances et, quand je me réveille, je me retrouve placée dans un foyer et j'apprends que mes parents ont fait une overdose. Point barre. C'est tout ce que j'ai réussi à savoir.

– Oh, mince... Désolé. Les miens ont paraît-il eu un accident de voiture. Mais j'ignore, où, quand, comment... Maintenant, j'habite chez mon oncle et ma tante.

– Autre réjouissance, ajouta Tessa, à peine arrivée je dois me farcir un interrogatoire. On m'envoie une nana déguisée en agent du FBI – Ribeiro, elle s'appelle – qui me pose un tas de questions auxquelles je suis incapable de répondre. Du coup, on m'expédie chez le docteur Funkel qui m'explique tranquillement que je vais retrouver la mémoire, qu'il suffit d'être patiente...

– Tu ne te souviens vraiment de rien ?

Tessa but une gorgée avant de répondre.

– C'est très flou. Je me revois en train de marcher dans la ville. Je crois que j'ai reçu un coup de téléphone. Peut-être plusieurs. Mais je n'ai pas pu vérifier parce que quand je me suis réveillée, on m'avait piqué mes affaires. Je me rappelle une seule chose. Une phrase que j'ai entendue juste avant mon « trou noir ». Je n'ai aucune idée de ce qu'elle signifie.

– Dis toujours...

– « Rejoins Orphans Project. »

Marin eut la sensation de recevoir une décharge électrique.

Pris d'une inspiration subite, il tendit alors la main vers le visage de Tessa.

– Qu'est-ce que tu...

– Tu permets ? dit-il en écartant doucement les cheveux sur sa nuque. Il faut que je vérifie quelque chose.

29

– OK, on est deux à avoir été kidnappés par un tatoueur fou amateur de nouvelles technologies, maugréa Tessa. Si on m'avait donné le choix, j'aurais préféré un tatouage de dragon!

Marin sourit.

– Le problème, c'est qu'ici personne ne semble connaître les QR codes.

– C'est donc que ceux qui se sont amusés à nous marquer comme du bétail sont des gens de *chez nous*.

Marin se rapprocha de la jeune fille et demanda à voix basse :

– Tu crois qu'on est où, ici ? À ton avis, c'est quoi ce monde qui est presque le nôtre sans l'être tout à fait ?

Tessa planta ses yeux dans les siens, avec défi.

– Tu me promets de ne pas me prendre pour une dingue ?

– Quand tu auras entendu mon hypothèse, c'est *toi* qui penseras que je suis fou.

– Bon. Je ne vois qu'une explication. On est dans un monde parallèle. Un univers jumeau de celui où nous avons toujours vécu. Une sorte de La Roche d'Aulnay bis...

– Oui, c'est ce que je crois aussi.

D'un geste, Marin embrassa ce qui les entourait.

– Ce que nous voyons là est le résultat d'un dédoublement de la réalité...

– ... avec quelques différences notables. Les deux univers ne sont pas rigoureusement superposables, observa Tessa.

– Non, il existe forcément des divergences. Un léger décalage dans le temps, par exemple. Nous sommes en avance de quatre jours sur notre monde.

– L'organisation politique, sociale et économique est autre. Cet État possède sa propre monnaie, des programmes scolaires spécifiques...

– ... et a choisi de planter la même essence d'arbre un peu partout, bizarrement.

– Tu as remarqué, toi aussi ! s'exclama Tessa.

Puis, baissant le ton, elle ajouta :

– Je me demande si ça n'aurait pas un rapport avec le champ du point zéro...

– Le quoi ?

– Écoute, tu as vu les ordinateurs qu'ils ont ici ?

– Non. J'avais un PC dans ma chambre, la police l'a pris.

– Un PC, oui. Mais ici, ça veut dire Personal Connector et je te prie de croire que ça n'a aucun rapport avec ce que tu connais !

– Ah bon ? Tu en as vu un ?

– Oui, au foyer. Quand ils m'ont ramenée du Memorium, j'ai demandé à l'utiliser. Je voulais faire des recherches. J'avais besoin de comprendre.

Marin sentit sa gorge se serrer.

– Toi aussi, ils t'ont conduite là-bas ?

– Tu sais, Marin, c'était le seul moyen de me convaincre que mes parents étaient morts... Donc, en revenant, j'ai essayé de me servir du PC, mais il n'y avait ni clavier ni souris. Juste un écran. J'ai demandé à un éducateur de me « réexpliquer » comment ça fonctionnait. Il m'a montré un récipient rempli d'un drôle de gel grisâtre posé juste à côté. Comme je ne comprenais toujours pas, il a attrapé ma main et l'a plongée dedans. Au contact de ma peau, le gel est devenu vert puis turquoise et j'ai ressenti de petits picotements. L'éducateur m'a demandé sur quoi je voulais faire des recherches. J'ai répondu « le Memorium ». Alors il m'a dit « Il suffit que tu y penses ». C'est ce que j'ai fait, et l'écran s'est allumé. J'ai lu : « **sujet** : *Rites funéraires en Occident du Moyen Âge à nos jours*/**précisions** ? » J'ai pensé « Cérémonie de la REI »...

Stupéfait, Marin l'écoutait, bouche bée. Tessa mit son sac sur ses genoux, l'ouvrit et en sortit une feuille un peu froissée qu'elle lui tendit.

– J'ai imprimé ce qui s'est affiché...

Le garçon se mit à lire en silence, le visage grave, le cœur battant.

« Au cours du XXe siècle, les prodigieuses avancées de la science, et, plus particulièrement, de la physique quantique, ont apporté de profonds bouleversements dans la conception même de la mort et, par conséquent, dans l'organisation des obsèques.

Ainsi, les funérailles traditionnelles ont peu à peu disparu, cédant la place à une cérémonie désormais courante appelée Recomposition Énergétique et Informationnelle.

Nous savons maintenant qu'un corps humain n'est qu'une masse d'énergie contenant une certaine quantité d'information, laquelle conserve sa cohésion tant que l'être est en vie, pour se dissocier, c'est-à-dire se séparer en particules et retourner à l'univers lors de la mort.

De la même façon qu'il est possible d'observer un ultime rayon, de couleur verte, lors du coucher du soleil, on a constaté que la vie humaine produisait elle aussi, au moment de disparaître, un dernier faisceau d'énergie, parfois nommé "rayon vert de l'âme". Or, celui-ci est non seulement constitué de photons qui le rendent visibles à l'œil, mais il émet un son, une fréquence hertzienne à chaque fois unique : la "musique" propre à chaque être humain, la signature de son passage sur Terre.

Les cimetières d'autrefois, devenus inutiles, ont été au fil des ans remplacés par des Memoriums, sortes de maisons funéraires où les proches du défunt peuvent se recueillir quand ils le souhaitent grâce à une audition.

D'autre part, de nombreuses églises, temples et cathédrales disposent aujourd'hui d'orgues de mémoires qui offrent la possibilité d'écouter la mélodie de la personne disparue, mais aussi de découvrir quelle place elle occupe dans l'orchestre de la communauté humaine, de quelle façon elle s'insère et participe à la grande symphonie universelle. Car si chaque être possède une vibration qui lui est propre, celle-ci ne prend tout son sens que lorsqu'elle vient s'intégrer à un tout, offrir une voix supplémentaire à la vaste polyphonie humaine... »

Marin posa le papier sur la table. Il s'efforçait de dissimuler son émotion, mais la « musique » de ses parents était si présente dans son souvenir que ses yeux s'embuèrent.

– Bon, reprit Tessa, leurs ordinateurs fonctionnent un peu sur le même principe. J'essaie de te résumer ce que j'ai réussi à comprendre à force d'interroger les uns et les autres. Les PC intègrent des composantes biologiques, notamment des cellules humaines. J'ignore les détails du fonctionnement de ces appareils. Ce que je sais, c'est que lorsque la paume de la main entre en contact avec le gel, l'utilisateur se connecte à un puits commun de connaissances, un champ d'énergie et d'informations qu'ils appellent le champ de point zéro. Il suffit alors de se concentrer sur le sujet de sa recherche et la réponse vient. Tu peux te représenter ça comme une version télépathique de Wikipédia !

– Pfuiii... Impressionnant ! fit Marin.

Tessa vida son verre d'une traite puis elle déclara, l'air soulagée :

– En tout cas, il y a au moins une bonne nouvelle dans tout ça !

– Ah oui ? Laquelle ?

La jeune fille répondit en chuchotant :

– Si on est bien dans un univers parallèle, ça signifie que nos parents ne sont pas morts !

Marin prit le temps de réfléchir, murmura :

– Oui, tu as raison. Les gens qui sont morts ne sont pas vraiment nos parents. Plutôt leurs doubles.

– De la même façon que nous possédons des doubles vivant ici. Ce qui explique que tous ces gens du lycée nous connaissent, y compris ceux que nous n'avons jamais vus.

– D'autres exemplaires de nous-mêmes ? Ça fait drôle...

– Exactement ! Mais où sont le Marin et la Tessa de ce monde-ci ?

– Oui, ce sont *eux* qui ont disparu et que l'agent Ribeiro recherche ! Est-ce qu'ils ont été tués ? Enlevés ? Par qui ? Pourquoi ?

– Ah, ça ! Grande question.

– Et nous, tu crois qu'on nous cherche ? Je veux dire, *chez nous*.

– Évidemment ! À moins...

– À moins ?

– Que les autres aient pris notre place.

Marin lui jeta un regard rempli d'effroi.

– Tu crois que...

Tessa se leva et enfila sa veste.

– Je ne crois rien. On ne va pas multiplier les sujets d'angoisse. On marche ?

– Bonne idée ! approuva Marin qui réalisa tout à coup à quel point il avait besoin de s'oxygéner.

Remerciant en pensée Carole de lui avoir donné un peu d'argent, il régla l'addition et ils sortirent. La nuit était tombée depuis un bon moment déjà. Sans s'être concertés, ils prirent la direction du vieux port et remontèrent le quai ouest jusqu'à la tour de la Chaîne. Les lumières de la ville se reflétaient dans l'eau noire, ourlant la crête des vagues de reflets orangés. Tandis qu'ils marchaient, Marin remarqua que Tessa jetait fréquemment des regards autour d'elle.

– Tu as peur que quelqu'un nous suive ? interrogea-t-il.

– Je deviens peut-être parano. Seulement il y a ces types...

– Quels types ?

– Je ne sais pas. Des types qui se ressemblent tous. Un visage assez jeune, mais des cheveux blancs. J'en ai croisé plusieurs.

– Moi aussi.

– Tu penses qu'ils nous surveillent ?

Le jeune homme haussa les épaules en signe d'ignorance.

Bien qu'il eût plus que jamais des motifs d'inquiétude, il se sentait incroyablement rasséréné. Sa longue conversation avec Tessa lui avait prouvé qu'il n'était pas fou, que tous les souvenirs qu'il conservait de sa vie d'*avant* correspondaient à des éléments réels, et non issus d'on ne sait quel délire consécutif à un traumatisme.

Ils venaient de s'engager sur la promenade des remparts, déserte à cette heure-ci, lorsque Tessa s'immobilisa et agrippa l'avant-bras de son compagnon.

– Marin, regarde, fit-elle, les yeux écarquillés, le bras tendu en direction du ciel.

30

Il suivit son regard. Au-dessus de l'océan, le vent avait balayé les nuages, laissant apparaître le disque blême de la lune.

– Ben quoi? C'est la pleine lune, et alors?

– Regarde-la bien. Tu ne remarques vraiment rien? s'étonna Tessa.

Marin crut tout d'abord qu'elle voulait parler du reflet de l'astre dans la mer, qui est toujours un spectacle féerique, et puis tout à coup cela lui sauta aux yeux. Il en eut le souffle coupé. Ce qu'ils avaient au-dessus de la tête n'était pas *leur* lune. Il ne reconnaissait absolument pas le dessin si familier que formaient ses cratères et ses grandes zones sombres, ces aspérités qui, de la Terre, la rendaient si semblable à un visage mélancolique. Ce que Marin et Tessa voyaient à cet instant, c'était une surface moins brillante, plus tourmentée, d'où les fameuses mers étaient absentes.

– La face cachée de la lune, murmura-t-il, sidéré.

Une chanson lui revint en mémoire. L'extrait de *The Dark Side Of The Moon*, ce morceau des Pink Floyd qu'il avait entendu dans le taxi, le soir de son arrivée à La Roche d'Aulnay bis. Comme un signe auquel il n'avait pas su donner son véritable sens. Un message l'informant qu'il était passé dans un autre monde. Oui, Tessa et lui ne s'étaient pas trompés. Ils se trouvaient dans un autre univers, ils en avaient la preuve sous les yeux.

Tout en contemplant le ciel nocturne avec fascination, Marin se rappela soudain que l'arcane de la Lune était justement sorti dans le tirage de tarot que lui avait fait Sibyl. La symbologue l'avait mis en garde : « Faites attention à la pleine lune. C'est une période où vous risquez d'être particulièrement vulnérable. » *Curieuses coïncidences,* songea-t-il.

Il s'apprêtait à en faire part à Tessa lorsque celle-ci porta brusquement sa main à sa nuque en poussant un petit cri et s'écroula.

– Tessa ! Qu'est-ce qui...

Marin n'eut pas le temps d'achever sa phrase. Il s'effondra à son tour.

Six hommes sortirent alors de l'ombre, soulevèrent leurs corps sans connaissance et les transportèrent jusqu'à un van garé à proximité.

Le véhicule démarra aussitôt et s'éloigna dans la nuit.

31

La salle où l'on avait conduit Alexia se trouvait dans une grande cave voûtée au sol recouvert de tommettes anciennes. Le jour y pénétrait par une rangée de soupiraux que traversaient les rayons obliques du soleil. De fines particules de poussière dansaient avec lenteur dans la lumière dorée. La température était très agréable et il flottait dans l'air un parfum d'iode et d'algues marines enrichi d'une pointe de menthe et d'un soupçon de réglisse vanillée, une odeur subtile et apaisante qu'Alexia associa à la couleur bleue, sa préférée.

Elle n'était pas la seule *visiteuse*. Quatre autres personnes en peignoir blanc venaient à leur tour d'être introduites, trois hommes et une femme. On attribua à chacun d'eux un bassin. Il s'agissait d'une large baignoire couleur ivoire aux trois quarts fermée, qui ressemblait à un sarcophage et était remplie d'eau chaude. Il y en avait six en tout, disposées en arc de cercle.

Sur leur couvercle, Alexia reconnut le logo du
Seahorse Institute : l'hippocampe et son profil
si particulier en forme de point d'interrogation.
Étrange petit animal à tête de cheval, dragon miniature des fonds marins, fascinante créature si semblable au cavalier du jeu d'échecs.

Quatre préparateurs vérifiaient la température de
l'eau ainsi que le fonctionnement d'un gros appareil
qui occupait le fond de la salle. On avait fait asseoir
les cinq visiteurs dans des transats le temps que
tout soit prêt et ils examinaient ce qui les entourait
avec la plus grande curiosité. *C'est donc ici que l'on
procède aux soins si particuliers dispensés par l'institut,* songea Alexia qui n'avait jamais rien vu de
comparable.

La porte s'ouvrit alors et Zacharie Speruto entra.
Il portait une blouse blanche qui lui donnait l'allure
austère d'un scientifique. Bien qu'un peu impressionnée, Alexia nota qu'il n'en restait pas moins
séduisant.

– Mes chers amis, dit-il, le moment que vous
attendiez impatiemment est arrivé. Nous allons
vous demander de prendre place dans ces bassins.
Ils sont remplis d'eau chaude, ce qui est préférable
pour votre confort, mais également nécessaire
pour une parfaite ionisation de l'eau de mer qu'ils
contiennent. Comme je vous l'ai expliqué, nous
allons procéder à la synchronisation des ondes cérébrales émises par vos deux hémisphères. L'ensemble
de votre corps va se détendre et vous allez éprou-
ver un bien-être général. Si vous vous sentez gagné
par une torpeur inhabituelle, ne soyez pas surpris,
celle-ci est tout à fait naturelle et fait partie du trai-

tement. Certains d'entre vous iront peut-être jusqu'à s'endormir. Ne résistez pas, l'intérieur des bassins est conçu de manière à ce que vous y soyez calés et ne puissiez pas glisser, vous ne risquerez donc pas la noyade, d'autant que nous ne vous quitterons pas des yeux !

– Je vous préviens, je ronfle ! annonça un homme moustachu et bedonnant.

Alexia et l'autre femme se mirent à rire.

– N'ayez crainte, mesdames, les rassura Zacharie, vous serez si détendues que vous ne l'entendrez même pas !

Il reprit ses explications sur un ton extrêmement professionnel.

– L'appareil que vous voyez derrière moi est le MEG Plus. Il contrôlera votre activité cérébrale via des capteurs incorporés aux bassins à proximité de votre tête. C'est aussi lui qui effectuera la neuro-régénération par stimulation qui conduira à votre guérison et à l'optimisation de vos performances. Mais nous en reparlerons un peu plus tard. Pour le moment, si vous voulez bien vous installer...

Les cinq visiteurs ôtèrent leur peignoir et se plongèrent en maillot de bain dans le liquide légèrement bleuté. Les préparateurs les aidèrent à se positionner comme il convenait et réglèrent l'orientation des capteurs.

Ce fut Zac qui s'occupa d'Alexia.

– J'ai promis à mon fils de veiller personnellement sur vous, lui chuchota-t-il à l'oreille tout en l'aidant à se débarrasser de son attelle. Voilà... Vous devriez être bien, comme ceci. Votre coude ne vous fait pas trop mal ?

– C'est parfait, je vous remercie, mentit Alexia qui avait en réalité peu de répit entre deux élancements douloureux.

– Bien. Alors, c'est parti ! annonça Zacharie.

Il s'installa aux commandes du MEG Plus tandis qu'un de ses assistants baissait les lumières. La salle se retrouva plongée dans une pénombre apaisante où seuls brillaient les diodes de l'appareil et les écrans de ses moniteurs de contrôle.

Allongée dans son sarcophage blanc, Alexia trouvait la température de l'eau délicieuse et les parfums qui en émanaient irrésistibles. Elle finit par en oublier son coude douloureux et ferma les yeux, un sourire béat sur les lèvres.

– Je vous laisse, dit Zacharie à ses collaborateurs. En cas de problème, vous savez où me trouver.

Au milieu d'un ensemble confus de sons étouffés, Alexia crut distinguer un bruit de pas qui s'éloignent, puis un ronronnement qui évoquait une machinerie d'ascenseur.

Marin rêvait.

Allongé sur un matelas pneumatique, il sentait son corps s'élever et s'abaisser au rythme des vagues tandis qu'au-dessus de lui, un soleil éclatant réchauffait sa peau.

Les yeux clos, il devinait une présence familière à ses côtés. Il ignorait de qui il s'agissait, mais cette présence lui procurait un indéfinissable sentiment de plénitude. Non, ce n'était pas tout à fait ça. Cela s'apparentait plutôt à de la *complétude*.

Comme si, pour la première fois de sa vie, il n'avait plus ressenti aucun manque, aucun vide, aucune faille en lui. C'était une sensation très étrange. Agréable et perturbante à la fois. Mais il ne voulait plus se poser de questions. Plus on court après leurs réponses, plus elles se dérobent, s'esquivent et vous narguent. On croit en avoir saisi une, comme on attrape une mouche en vol, et puis on ouvre la main et on n'y trouve qu'une nouvelle série d'interrogations. C'était épuisant. Or Marin avait incroyablement envie de se reposer. Et il était bien, là, bercé par l'eau. Si seulement il n'avait pas eu si mal à la tête...

La porte de l'ascenseur s'ouvrit et Proteus en sortit. Il traversa la salle pour rejoindre l'unité de monitoring.

Le Laborant observait avec attention l'image émise par les signaux de synchronie de haute fréquence que captaient les gradiomètres planaires.

– Ça vient de commencer, annonça-t-il.

Proteus jeta un dernier regard aux sujets en immersion, puis monta le rejoindre dans la cabine.

– Bien, très bien ! commenta-t-il, les yeux brillants.

L'écran montrait une zone spécifique du cortex que sa forme recourbée rendait aisément identifiable. Cette petite structure cérébrale, habituellement immobile, ondulait avec lenteur, telle une algue au fond d'un aquarium.

– Regardez comme il bouge. C'est incroyable ! murmura le Laborant.

À ses côtés, Proteus jubilait.

– The Seahorse Dance, la danse de l'hippocampe... Des années que j'attendais de voir ça!

Sous leurs yeux, le mouvement s'intensifiait progressivement.

– Il faut que le cerveau libère une prodigieuse quantité d'énergie pour provoquer ce mouvement. C'est extraordinaire!

– Je savais que, cette fois, nous tenions les bons sujets.

– Vous aviez raison, seuls le sujet 1 et le sujet 2 sont capables de générer une SHD[1]. Ça a démarré dès qu'on les a connectés à leur double. C'est absolument fantastique!

– Avec l'énergie qu'ils produisent, nous allons être en mesure de traiter deux fois plus de personnes en deux fois moins de temps. Après deux jours seulement, mes cinq patients actuels seront plus en forme que leurs prédécesseurs que nous avons gardés deux semaines, je vous le garantis! Nous touchons au but, mon cher, c'est...

À cet instant, une lumière se mit à clignoter et un message d'alarme envahit l'écran :

Alerte de niveau 3
Sujet n° 1 en sortie de stase.

– Nom d'un chien! jura Proteus.

Et il se précipita hors de la cabine.

1. Abréviation de *Seahorse Dance*.

Marin ouvrit les yeux. Il ignorait ce qui l'avait réveillé. Sans doute cette douleur qui lui vrillait les tempes. Au-dessus de lui, le plein cintre d'une voûte de pierre blanche s'étendait d'une extrémité à l'autre de son champ de vision.

Il contempla les lueurs bleutées qui ondoyaient sur la surface courbe. Cela lui rappelait les reflets de l'eau, le soir, sur le plafond de la piscine. *La piscine???*

Il eut un sursaut. Il voulut se redresser et s'aperçut alors qu'il était plongé dans l'eau. Seule sa tête émergeait, maintenue par un flotteur fixé à sa nuque. Il voulut bouger les bras et les jambes, mais ils ne répondaient plus. Son corps flottait à la surface d'une eau chaude, qui sentait l'iode et le goémon. Un objet rigide encerclait son crâne, exerçant une pression au-dessus des oreilles. Marin voulut crier. Aucun son ne sortit de sa gorge. Il réussit uniquement à tourner la tête sur le côté. Ce qu'il vit le remplit de terreur.

Il se trouvait dans un vaste bassin circulaire occupé par d'autres adolescents qui semblaient faire la planche, immobiles, les yeux fermés, la tête ceinte d'une étrange couronne de métal parcouru d'éclats de lumière colorée. Il avait du mal à déterminer précisément combien ils étaient. Au moins une dizaine.

Parmi eux, il reconnut Tessa. Son visage était pâle, ses traits crispés. Marin sentit la panique grandir en lui. Où étaient-ils? Qu'était-on en train de leur faire? Et qui étaient les autres jeunes plongés avec eux dans ce bassin? Son cœur cogna comme un fou dans sa poitrine. Le sang martelait ses tempes de plus en plus fort et son souffle devenait de plus en plus court. Il se mit à chercher l'air.

Au prix d'un effort démesuré, il parvint à tourner la tête. Ses yeux exorbités se posèrent sur le corps de l'adolescent qui flottait à sa droite. C'était... lui-même !!! Un autre Marin qui, lui aussi, paraissait dormir et dont les traits contractés semblaient indiquer qu'il était en proie à une souffrance certaine.

– Sortez-le de l'eau et vérifiez la perf ! cria une voix.

Marin sentit qu'on le saisissait au niveau des aisselles et qu'on le tirait hors du bassin.

– C'est la molette du goutte-à-goutte qui est défectueuse. Je ne comprends pas, on a pourtant...

– Enlevez-moi tout ça et allez chercher une perfusion neuve. En attendant, faites-lui une injection de benzodiazépine. Il faut qu'il reste sous sédation !

Marin n'était plus qu'une poupée de chiffon ballottée par une multiplicité de mains qui s'agitaient autour de lui. Bientôt, les voix qui lui parvenaient s'éloignèrent. Elles résonnaient désagréablement, comme dédoublées par un phénomène d'écho.

– Voilà, c'est bon... Le rythme cardiaque... aque... aque...

– Cent quinze pulsations minute... ute... ute...

– Vous ne le remettez pas à l'eau avant qu'il soit de nouveau à soixante... ante... an...

Silence.

– Il redescend, c'est OK.

Marin n'entendit plus rien. Il voulut ouvrir les yeux, mais ses paupières étaient devenues si lourdes ! Son corps était en coton. Son rêve reprit. Pas cet affreux cauchemar qu'il redoutait tant. Non, la mer, le soleil, le matelas pneumatique, les vagues. L'eau qui le berçait. La chaleur sur sa peau. L'envie de dormir et d'oublier. C'était si bon...

Et brutalement, la douleur fut là, fulgurante. C'était comme si on lui enfonçait une aiguille dans le cerveau. Alors, tout au fond de lui, une parcelle de conscience encore en veille se débattit, lutta pour émerger des limbes et une voix se mit à hurler : *Au secours ! Ils vont nous tuer ! À l'aide ! Je vous en supplie...*

Autour de Marin, personne n'entendit son cri de désespoir.

32

Depuis qu'elle était rentrée chez elle, Alexia était en proie à un malaise inexplicable. Sa cure de découverte s'était pourtant déroulée dans les meilleures conditions et son bref séjour au Seahorse Institute avait été des plus agréables. Elle se sentait reposée et physiquement au top. De plus, elle avait constaté avec stupéfaction que son coude ne la faisait plus souffrir et qu'elle pouvait de nouveau se servir de son bras normalement.

Elle avait tout d'abord cru qu'il s'agissait d'effets passagers des soins et qu'ils se dissiperaient au cours des jours suivants. Afin d'en avoir le cœur net, elle était allée repasser une radio. Sur les clichés ne subsistait pas la moindre trace de fêlure. C'était extraordinaire. Et inespéré, elle tenait là tous les éléments pour son scoop.

Mais curieusement, elle n'était plus très sûre d'avoir envie d'écrire cet article. Son intuition lui soufflait qu'il était préférable de ne pas le faire.

Il est vrai qu'elle craignait la réaction de Zacharie. Sans parler de Sean, qui pourrait, à juste titre, se sentir trahi. Mais là n'était pas l'essentiel. Elle avait besoin de réfléchir.

Lorsqu'elle repensait à ces deux jours passés au Seahorse, elle n'avait que des souvenirs assez vagues. Elle revoyait clairement la chambre au décor cosy, la salle au plafond voûté et ses baignoires pareilles à des sarcophages. Des sensations de bien-être lui revenaient, mais ensuite les images devenaient extrêmement floues. Au bout d'un certain temps, on l'avait sortie du bain ionisé pour la reconduire à sa chambre. Elle s'était écroulée dans son lit et s'était endormie aussitôt.

Le lendemain matin, on était venu la chercher pour la deuxième journée de soins, mais elle ne se souvenait pratiquement de rien si ce n'est l'agréable impression de flotter dans un nuage cotonneux. Puis Sean était arrivé et l'avait ramenée chez elle.

Le jour suivant, Alexia avait retrouvé ses esprits et avait pu vérifier les bienfaits de la cure sur sa blessure.

Néanmoins, depuis son retour, elle se sentait inexplicablement triste, voire angoissée. Et surtout, il y avait ce cauchemar qui revenait chaque nuit.

Toujours la même scène. Elle était allongée dans l'obscurité, elle se reposait et, tout à coup, elle entendait quelqu'un appeler au secours. Quelqu'un qui était tout près d'elle mais qu'elle ne pouvait ni voir ni toucher. Parfois, elle entendait cette voix qui implorait de l'aide durant la journée.

Une voix suppliante. Terrifiée.

Cela devenait obsédant. Elle ne parvenait plus à se concentrer sur son travail. Il y avait ces cris dans sa tête, toujours accompagnés d'une même image, incompréhensible.

Pour tenter de s'en débarrasser, Alexia décida de la dessiner. Ses premières tentatives se soldèrent par un échec. Dès qu'elle essayait de la fixer, l'image se dérobait. Mais elle ne renonça pas. Et petit à petit, elle réussit à en saisir des bribes qu'elle reproduisait au fur et à mesure dans un carnet. Cela la prenait n'importe quand, n'importe où. À tout moment, elle éprouvait le besoin d'attraper un stylo, d'ouvrir son Moleskine et de compléter le dessin. Ce qu'elle était en train de faire ce jour-là lorsque Sean la rejoignit au Café du Port.

– Tiens, tu t'amuses à créer des QR codes ? demanda-t-il.

Elle le regarda, bouche bée. Nom d'un chien ! Comment n'avait-elle pas vu...

– Un QR code... Mais oui, évidemment ! murmura-t-elle, le regard perdu dans le vague.

– Tu es sûre que tu te sens bien ? s'inquiéta Sean.

Alexia hésita un instant. Le besoin de se confier à lui fut le plus fort.

– Oui et non, commença-t-elle.

Elle attrapa le porte-clés qu'elle avait posé sur la table et ses doigts se mirent à jouer machinalement avec.

Gardant les yeux sur l'hippocampe en argent, elle raconta en détail ce qui lui arrivait.

Sean l'écouta très attentivement, sans l'interrompre. Elle craignait qu'il trouve tout cela farfelu, mais il la prit au sérieux.

– Tu es sûre que tu n'as jamais eu ce genre de manifestation avant ? lui demanda-t-il.

– Sûre et certaine. Je ne me souviens pratiquement jamais de mes rêves. Et là, Sean, je te jure que *j'entends* cette voix. C'est effrayant.

– Et l'image accompagne à chaque fois les cris ?

– Oui, elle apparaît juste après.

– Ce qui est sidérant, c'est que tu arrives à la reproduire avec autant de précision, observa-t-il en regardant le carnet.

La jeune femme hocha la tête, pensive.

– J'ai l'impression que ma main agit seule, comme guidée, j'ignore par qui... Mais ce que je sais, c'est que l'image n'est pas complète. À chaque fois que j'ai un flash, c'est comme si je zoomais sur une partie. Je la vois très nettement pendant une fraction de seconde, et aussitôt *il faut* que je la recopie. C'est dingue.

– Bon. Il ne nous reste plus qu'à attendre que tu aies fini. Ensuite, on essaiera de lire le QR code et on verra ce que ça donne, suggéra Sean.

Alexia le regarda, le visage grave.

– Tu ne crois pas... Tu crois que tout ça pourrait avoir un rapport direct avec mon passage au Seahorse Institute ? lui demanda-t-elle.

Sean ne répondit pas immédiatement. Il semblait à la fois soucieux et embarrassé.

– Je ne sais pas, Alex. Je me pose pas mal de questions.

Le portable de la jeune femme sonna à ce moment-là. Elle poussa un soupir d'exaspération. Elle n'avait pas envie d'être dérangée. Cependant, lorsqu'elle vit le nom qui s'affichait sur l'écran, elle prit l'appel.

– Oui, Noémie. Comment vas-tu ?... Très bien, je te remercie... Oui, ça m'a fait beaucoup de bien, c'est assez étonnant... Non, je suis totalement remise... Ah, oui... Je ne sais pas, il faut que je réfléchisse. Je t'expliquerai... Bon, et toi ? Est-ce que ça avance ?... Le capitaine Calcavechia, oui... Il t'a demandé *quoi* ???

Sean vit Alexia ouvrir de grands yeux et pâlir. Elle activa le haut-parleur pour qu'il entende la conversation.

– *... si Marin s'intéressait aux QR codes,* répéta Noémie. *Je lui ai répondu que tous les ados s'y intéressaient et mon frère en particulier, parce qu'il adore les gadgets. Et puis je me suis souvenue que lorsqu'on lui avait offert son smartphone, il nous avait fait une démonstration de l'application qui permet de les lire et qu'il avait traqué tous ceux qu'il avait pu trouver, sur les emballages, dans les magazines, pour nous montrer comment ça marchait.*

– Est-ce que Calcavechia t'a dit pourquoi il avait tout à coup besoin de savoir ça ? interrogea Alexia, la voix frémissant d'impatience.

– *C'est à cause de la jeune fille, Tessa. Grâce à son portable, que Sean et toi avez récupéré, les flics se sont aperçus qu'elle s'était elle aussi connectée au site orphans-project juste avant de disparaître. Or elle l'a fait non pas en entrant l'adresse web, mais via des QR codes. Ce sont eux qui l'ont dirigée sur le site fantôme. La police pense qu'il y a des chances pour que ça se soit passé de la même façon pour Marin...*

Alexia trouva un prétexte pour mettre fin à la conversation et promit à Noémie de passer la voir. Consternée, elle n'osait croiser le regard de Sean. Celui-ci lui prit la main et la serra.

– Dis-moi ce que tu penses, s'il te plaît.

Elle essaya de parler, sa voix s'enroua. Après s'être éclairci la gorge, elle déclara, visiblement secouée :

– Cet appel au secours... C'était Marin, Sean, j'en suis certaine... C'est lui qui m'a envoyé ce message...

– Attends, attends... Tu ne peux pas affirmer des choses pareilles à la légère. Tu te rends compte de ce que cela signifierait ? répliqua Sean d'un ton un peu vif.

Alexia soupira et se prit la tête entre les mains. Elle se massa les tempes du bout des doigts, comme pour tenter de dissiper une migraine, puis elle releva le visage et déclara en regardant Sean droit dans les yeux :

– Je me rends parfaitement compte. Cela signifierait que le Seahorse Institute a un rapport avec la disparition de ces deux ados et que ton père pourrait être impliqué dans cette affaire.

– Et tu m'annonces ça le plus calmement du monde ! s'emporta le jeune homme. Non mais pour qui tu te prends ? De quel droit tu te permets de dire ce genre d'absurdité ?

Il se leva d'un bond et enfila son blouson avec des gestes nerveux.

– Écoute, ne le prends pas mal, tenta Alexia, surprise par sa réaction. Il faut qu'on en discute tranquillement. Je suis aussi bouleversée que toi. Si je t'ai parlé, c'est parce que j'ai confiance en toi. Je ne veux accuser personne, je cherche juste à comprendre.

– Moi aussi, répliqua Sean d'un ton sec. J'ai besoin de comprendre certaines choses. À ton sujet, notamment.

– Ah oui ? se défendit Alexia.

– Puisque c'est le moment des confidences, je vais te dire ce que je pense. Depuis le début, c'est à mon père que tu t'intéresses, pas à moi !

– Quoi ? Comment oses-tu...

– Tu t'es servie de moi pour te rapprocher de lui.

– N'importe quoi ! rétorqua Alexia, rouge de colère.

– Dans ce cas, pourquoi m'as-tu posé autant de questions à son sujet ? Qu'est-ce qui t'intéresse chez lui ? Jusqu'ici, tu as eu l'air d'être très sensible à son charme. Et maintenant, tu l'accuses d'être mêlé à cette affaire d'enlèvement ! À quoi tu joues exactement, Alex ?

33

Marin ouvrit les yeux.

Juste au-dessus de lui, un arbre déployait ses branches en partie dénudées, sombre Shiva dont les bras noueux se découpaient sur un ciel grisâtre.

Marin se redressa.

Il était à nouveau sur un banc, dans le parc municipal. À l'est, le ciel rosissait. Un vent froid le fit frissonner. Dans le silence de l'aube, on n'entendait que des pépiements d'oiseaux.

Marin se leva.

Un léger vertige le fit chanceler. Il se rattrapa au dossier du banc. Il se sentait épuisé. Il regarda autour de lui. Où venait-il exactement de se réveiller ? Dans quel monde se trouvait-il à cet instant ? Le parc était désert, encore plongé dans la pénombre.

Et si j'étais... rentré ? songea Marin. *Si tout n'avait été qu'un long, un terrible cauchemar ?*

Galvanisé par l'espoir, il quitta le banc et fit une dizaine de pas dans l'allée. La tête lui tourna, il s'arrêta, ferma les yeux, respira à fond et se remit en marche. *Il faut que je rentre chez moi,* se répéta-t-il pour se donner du courage. Il parcourut ainsi une cinquantaine de mètres, luttant contre le voile sombre qui s'obstinait à s'étendre devant ses yeux. Jusqu'au moment où un détail anormal attira son regard au détour d'une allée.

Un corps étendu dans les feuilles mortes.

Exactement le genre de chose dont on se passerait bien, surtout quand on a déjà un paquet de problèmes. Le cœur battant, Marin s'approcha néanmoins de la silhouette en jetant des regards de tous côtés. Le parc était désert. Personne à appeler à l'aide. Lorsqu'il ne fut plus qu'à deux ou trois mètres du corps, Marin étouffa un cri. Cette chevelure brune, ce visage...

– Tessa !

Il se laissa tomber à genoux près d'elle et lui toucha l'épaule.

– Tessa, réveille-toi ! C'est Marin !

Elle ne bougea pas. Son visage était d'une pâleur effrayante.

– Oh, non, non... Tessa, je t'en supplie ! s'écria Marin en la secouant plus fort.

Elle émit un gémissement. Se penchant au-dessus d'elle, le garçon s'aperçut qu'elle s'était affalée sur une branche qui lui griffait la joue. Il la saisit au niveau des épaules et la fit pivoter doucement de manière à la mettre sur le dos, puis dégagea sa tête et son cou pour lui permettre de mieux respirer.

D'un geste doux, il écarta ensuite les mèches qui recouvraient ses yeux en implorant :

– Réveille-toi, s'il te plaît...

Il inspecta rapidement son corps et ne décela aucune blessure. Il prit sa main, elle était glacée. Il la frotta entre les siennes jusqu'à ce qu'il sente un peu de chaleur revenir.

– Allez ! Fais un effort, la conjura-t-il.

C'est alors qu'elle cligna des paupières. Deux ou trois fois, avant d'ouvrir complètement les yeux.

– Marin ? Il est quelle heure ? demanda-t-elle, la bouche pâteuse.

– Pfff ! Tu m'as fichu la trouille ! répondit Marin presque avec colère.

Tessa s'assit avec précaution et promena autour d'elle un regard éberlué.

– On est où ?

– Dans le parc, dit Marin en se redressant. Ça va ?

Il lui tendit la main pour l'aider à se lever.

– Dans le parc, répéta Tessa. Encore ? Qu'est-ce qu'on fait là ?

– Aucune idée. Tu te sens bien ? Tu n'as pas la tête qui tourne ?

La jeune fille porta la main à son front en grimaçant.

– Si.

– Respire à fond, ça va passer.

Elle suivit son conseil et marcha prudemment en s'accrochant à son bras. Lorsqu'elle se sentit mieux, elle le lâcha.

– Est-ce que c'est... *notre* parc ? demanda-t-elle sans trop y croire.

Marin shoota dans un tas de feuilles jaune d'or.

– Jette un œil là-dessus. Ginkgo et encore ginkgo.
– Mince, on est toujours *là-bas*.
– J'en ai peur.
Le jour se levait, humide et grisâtre. Une brume glacée tomba soudain des branches, comme exhalée par les arbres à leur réveil. Tessa fut secouée par un grand frisson et se mit à grelotter.
– J'ai froid.
– Faut pas qu'on reste là. Viens ! dit Marin.

34

Il avait exploré la totalité du rez-de-chaussée. Outre l'accueil, le secrétariat et le bureau de la direction, ce niveau comprenait un salon de détente ainsi que des cabines de soins sur les portes desquelles on pouvait lire « Massage relaxant », « Shiatsu », « Réflexologie plantaire », « Digitopuncture »...

Sean était perplexe. Il avait toujours entendu Zac affirmer que son Institut proposait une technique de remise en forme unique, fort éloignée de « tous ces gadgets prétendument venus d'Orient » dont beaucoup faisaient leurs choux gras. Dans ce cas, pourquoi annoncer ces différentes disciplines aux portes de pièces impeccables et visiblement inemployées ?

Il décida de pousser ses investigations plus loin. Il savait que son père utilisait le MEG Plus au Seahorse Institute. Que ses recherches tournaient autour de son invention. En trouvant l'appareil, il trouverait la véritable salle de soins. Alexia avait évoqué des baignoires en forme de sarcophages, un plafond voûté.

Restait le sous-sol. Il ne s'y était jamais rendu et ignorait par où y accéder. Au rez-de-chaussée, aucun escalier ne descendait à un niveau inférieur. Il pensa à l'ascenseur et s'engouffra dans la cabine. On lisait « – 1 » sous l'indication « RC ». Mais pour pourvoir descendre, il fallait introduire une clé dans le tableau de bord.

Sean pesta. Il existait forcément un accès extérieur. Il ressortit et contourna le bâtiment. Sur l'arrière, il finit par découvrir un escalier en partie dissimulé par une haie de lauriers. Les marches conduisaient à une porte large et épaisse qui ne pouvait être que celle de la cave. Il actionna la poignée. En vain.

Il avisa alors un boîtier discrètement fixé dans l'ombre du renfoncement. Il ne comportait qu'un seul bouton. Sean appuya dessus et l'écran s'alluma, affichant le message suivant : *Mot de passe, svp.* Décontenancé, il chercha des touches permettant d'entrer un code, mais n'en trouva pas. L'appareil devait être équipé d'une interface vocale. Il ne restait plus qu'à deviner le mot de passe et à le prononcer devant le micro. Le problème, c'est que Sean ignorait quel était ce fameux sésame. Il frotta nerveusement ses paumes l'une contre l'autre en réfléchissant, puis fit un premier essai, au hasard.

– Zacharie !

Il ne se passa rien. Il essaya le prénom de sa mère. Sans succès. Il poussa un soupir exaspéré. C'était ridicule. Il existait des milliers de possibilités ! À contrecœur, il décida d'abandonner. Il trouverait un moyen de faire parler son père... Comme il posait le pied sur la dernière marche de l'escalier, une idée lui traversa l'esprit. Il s'immobilisa, fit brusquement demi-tour et redescendit en courant.

– Meg Plus Ultra! annonça-t-il.

Un bourdonnement se déclencha aussitôt. Sean enfonça une nouvelle fois le bouton situé sous l'écran... La porte s'ouvrit.

La salle était impressionnante. Sa succession de voûtes aux arcs en plein cintre et le maigre éclairage dispensé par les soupiraux lui rappelèrent certaines abbayes romanes qu'il avait visitées dans la région. Le sol, au pavage irrégulier, était constitué de tommettes usées et polies par les ans.

Ses yeux s'habituant à la pénombre, Sean s'avança jusqu'au cœur de la salle où une série de baignoires étaient disposées en arc de cercle, ainsi que le lui avait décrit Alexia. Juste à côté, trônait la majestueuse machine créée par son père, le fameux MEG Plus Ultra, comme il s'amusait à le surnommer.

Quelques années auparavant, Zac n'avait pu résister au plaisir de montrer son invention à son fils, aussi la reconnut-il immédiatement. Avec ses boulons apparents, ses manettes et ses plaques de cuivre rutilant, c'était un engin surprenant, qui semblait tout droit sorti d'un roman de Jules Verne. Et pourtant, Sean savait qu'il avait sous les yeux un appareil qui n'utilisait que des technologies de pointe. Toutefois, Zac avait voulu se faire plaisir : l'efficacité technique de sa machine ne lui suffisait pas, il était indispensable à ses yeux de la doter d'une esthétique de choix. Et il y était parvenu.

Sean secoua la tête. Son père était décidément un drôle de personnage. Mais à quel type d'expériences se livrait-il dans ce décor incroyable ?

Le bruit d'une machinerie d'ascenseur se déclencha soudain à l'autre bout de la salle. Le ronronnement provenait d'un recoin dissimulé par un large pilier. Sean entendit la plateforme s'arrêter, puis une porte métallique claqua et des pas résonnèrent sous le plafond voûté. Il n'avait pas le temps de ressortir sans être vu. Il choisit donc de rester et attendit. Les pas se dirigèrent droit vers la machine et Zac apparut.

– Tu cherches quelque chose ? demanda-t-il en apercevant son fils.

Il semblait trouver tout naturel de tomber nez à nez avec lui. D'un geste ample du bras, Sean désigna l'ensemble de la salle.

– Eh bien... J'aimerais que tu me parles un peu de tout ça, répondit-il.

Zac dévisagea son fils, un sourire de satisfaction sur les lèvres.

– Je me demandais si tu finirais un jour par t'intéresser à mes travaux. Je constate avec plaisir que l'heure est venue. Que veux-tu savoir ?

Sean regarda son père droit dans les yeux avant de répondre :

– Tout.

Zacharie Speruto partit d'un grand éclat de rire.

35

Marin et Tessa couraient.

– Il faut qu'on s'en aille. On doit quitter cette ville le plus vite possible, avait déclaré Marin.

Tessa avait demandé pourquoi.

– J'ai vu des choses que je n'aurais pas dû voir, avait-il répondu. Des choses terribles.

Et il lui avait raconté : la cave, le bassin, son double allongé près de lui, elle un peu plus loin, les hommes en blanc tout autour, et puis cette douleur à la tête...

– C'est du délire. J'ai l'impression d'avoir été droguée.

– On l'a certainement été. Mais je peux t'assurer que ce que j'ai vu était *réel* !

D'un commun accord, ils avaient décidé de s'enfuir en prenant un train. Ils s'étaient rendus à la gare et avaient consulté les horaires. Il y avait un départ pour Paris à sept heures moins dix. Ils n'avaient que dix minutes à attendre.

Ils ne possédaient pas de quoi se payer des billets, mais ils improviseraient si un contrôleur se présentait. Ils s'avancèrent sur le quai et allèrent s'asseoir sur un banc. Ils étaient pâles, épuisés, tremblants. Marin repensa aux prédictions de Sibyl. « L'as d'épée... Associé au Fou, il parle de troubles psychiques ou de forces qui agissent sur l'esprit. » Que leur avait-on fait ?

Tessa passa son bras sous le sien et se serra contre lui en frissonnant.

– Qu'est-ce qu'ils nous veulent ? murmura-t-elle. Pourquoi est-ce qu'ils nous ont relâchés ?

– Je n'en sais rien. Ce n'est pas logique, répondit Marin soucieux.

– Je me sens à plat. C'est comme si on m'avait pompé toute mon énergie. Je suis tellement fatiguée. Je voudrais dormir... fit Tessa en posant la tête sur l'épaule de son compagnon.

– Non ! s'écria Marin en se levant d'un bond.

– Quoi ? protesta la jeune fille.

– Ne t'endors surtout pas ! Le train va arriver, il faut absolument qu'on le prenne. C'est notre seule chance, tu comprends ?

Tessa hocha la tête. Sa pâleur devenait effrayante. Marin fouilla ses poches. Il trouva quelques pièces.

– Il y a un distributeur dans le hall. Je vais aller te chercher à manger, décida-t-il.

Il venait d'entrer dans la gare lorsqu'il aperçut un homme qui sortait de la cabine du photomaton. Ses cheveux, coupés court, étaient complètement blancs, mais son visage n'avait pas une ride. *C'est pas vrai !* Marin fit demi-tour. Au moment où il jaillissait sur le quai, il vit trois autres hommes à cheveux blancs apparaître à l'autre bout. Il n'eut que le temps d'attraper Tessa par la main.

– On se tire d'ici. Vite!

Et à présent, ils couraient à perdre haleine. Aussi vite que leurs forces le permettaient. En jetant un coup d'œil par-dessus son épaule, Marin constata que les types étaient sur leurs talons. À ses côtés, Tessa faiblissait. Il s'attendait à tout moment à la voir s'écrouler de fatigue. *On n'y arrivera jamais!* gémit-il intérieurement.

Ils traversèrent l'avenue. Un bus approchait de son arrêt. S'ils le rejoignaient à temps, ils pourraient sauter dedans et semer leurs poursuivants.

– Tiens bon! implora Tessa. On va l'attraper...

Le bus s'arrêta et trois passagers descendirent. Marin et Tessa n'étaient plus qu'à une trentaine de mètres.

– Attendez! cria Marin au chauffeur en agitant le bras.

Les portes se refermèrent en chuintant et le véhicule redémarra.

– Noooooooon! hurla Marin, en vain.

C'est alors que Tessa trébucha et plongea en avant, manquant l'entraîner dans sa chute. Il ne put l'empêcher de tomber, mais la releva aussitôt.

– On fonce! Ils arrivent! dit-il, paniqué.

Les hommes se trouvaient à environ vingt mètres derrière eux. Et là, en face, le long du trottoir, il y avait un taxi. Avec un peu de chance... Marin tira brutalement Tessa sur le côté pour traverser l'avenue. Une voiture arrivait à ce moment-là. Au lieu de se déporter pour les éviter, elle se mit en travers de la chaussée et pila tout près d'eux.

– Montez! cria le conducteur par la vitre ouverte. Dépêchez-vous!

Éberlué, Marin ouvrit la portière arrière, poussa Tessa à l'intérieur et s'engouffra à sa suite tandis que la voiture repartait sur les chapeaux de roues. Cramponné au dossier de la banquette, Marin vit les hommes aux cheveux blancs rebrousser chemin.

– J'ai bien cru qu'on n'y arriverait pas, dit l'homme au volant.

Tessa agrippa le bras de Marin. Tous deux regardaient fixement le visage qui se reflétait dans le rétroviseur intérieur. Un visage qu'ils connaissaient l'un et l'autre et qu'ils ne s'attendaient pas à voir.

– Monsieur Broch! s'exclamèrent-ils ensemble.

– J'avais raison, jeune homme, tu es un excellent *agent*. Ton signal de danger a failli m'exploser la tête!

– Quoi? Mais je...

– Le message que tu m'as envoyé était tellement clair que je suis parti vous chercher immédiatement. Malgré cela, un peu plus et j'arrivais trop tard.

La voiture sortit de la ville et s'engagea sur une départementale en direction de la côte.

– Où nous emmenez-vous? demanda Tessa, hébétée.

– Ne vous inquiétez pas, je vais vous mettre en sécurité. On y sera dans une heure. Profitez-en pour vous reposer un peu.

Épuisée, Tessa ne tarda pas à s'endormir. Sur ses gardes, Marin s'efforça de lutter le plus longtemps possible contre le sommeil. Mais il était lui aussi à bout de forces. La chaleur de l'habitacle et le bercement de la voiture qui roulait à présent à vitesse constante ne tardèrent pas à vaincre sa résistance.

Marin commença à rêver. Il se revit dans la verdine. On y avait attelé un cheval et la roulotte avançait en se balançant. Sibyl lui souriait en murmurant : « L'Empereur. Vous allez rencontrer quelqu'un, un homme mûr. Au début, vous serez méfiant, mais vous pourrez avoir confiance en lui. » *Vous pourrez avoir confiance en lui...*

L'air du large, frais et piquant, déboula sur eux et les réveilla comme une claque. La voiture continuait à rouler. La vitre du conducteur était grande ouverte, aspirant un flot d'odeurs marines charriées par un air gorgé de sel.

– On arrive, annonça Broch.

Marin se frotta les yeux.

– Où ça ?

– Au Bout du monde. C'est là que nous allons.

36

Juché sur une falaise rocheuse à l'extrémité nord de l'île, une pointe de terre surnommée le Bout du monde, la tour cylindrique du phare, reconnaissable à ses trois bandes noires sur fond blanc, dominait le paysage du haut de ses quarante-six mètres.

Blottie dans son ombre gigantesque, l'ancienne maison du gardien ressemblait à une demeure miniature. Broch la contourna pour se garer sous un appentis. Puis, d'un geste, il invita Marin et Tessa à le suivre.

Ils remontèrent l'allée bordée d'arbustes et d'épais buissons qui conduisait à l'entrée du phare. Un homme les attendait sur le seuil. Il portait un bonnet de marin bleu marine enfoncé jusqu'aux sourcils et un caban dont il avait remonté le col pour se protéger du vent. Son visage aux traits burinés était éclairé par un regard couleur d'eau qui tranchait sur son teint mat de navigateur. En le voyant, Marin sentit renaître en lui ses rêves de voyages en mer, son désir d'aventure, ses envies de grand loin...

– Salut Étienne, fit l'homme.

Broch lui serra la main, se tourna vers les deux jeunes gens.

– C'est Théo, annonça-t-il simplement.

De la tête, le gardien du phare leur fit signe d'entrer et referma la porte à clé derrière eux. Puis il les conduisit dans une petite cuisine où les attendaient du café chaud, des œufs et du bacon.

– Z'ont pas bonne mine, les drôles, dit-il comme pour lui-même.

– Ça va s'arranger, répondit le professeur.

Marin but son café d'une traite et vida son assiette en un temps record. Après quoi, il étudia avec curiosité le visage des deux hommes avant de demander :

– Vous pouvez nous expliquer pourquoi on est là ?

Broch inspira profondément avant de répondre.

– Premièrement, pour reprendre des forces. Vous avez besoin de vous reposer. Théo s'occupera de vous, j'ai toute confiance en lui.

Debout devant la cuisinière, le gardien faisait chauffer de l'eau pour une deuxième tournée de café. Sans se retourner, il approuva d'un bref coup de menton. Les coudes appuyés sur la table, la tête rentrée dans les épaules, Marin ne savait quoi penser.

– Pourquoi nous aidez-vous ? ne put-il se retenir de lancer.

– Parce que vient un moment où l'on ne peut plus avoir connaissance de certains agissements et néanmoins rester passif, répondit le professeur.

Marin l'observa attentivement avant d'ajouter, d'un ton plus doux :

– Vous êtes donc au courant de ce qui nous est arrivé ?

Broch acquiesça en silence.

– Vous savez qui nous a enlevés ? demanda Tessa, incrédule.

Un pli profond barra soudain le front de Broch.

– L'homme le plus génial et le plus dangereux que je connaisse. Ici, il se fait appeler Proteus, mais son vrai nom est Zacharie Speruto.

– Cet homme est le diable, maugréa Théo d'une voix à peine audible.

Le Diable ? se dit Marin en frissonnant. *Sibyl m'a parlé du Diable... Quel était le message de cette carte, déjà ?*

Fronçant les sourcils, il se tourna vers Tessa.

– Zacharie Speruto ? Jamais entendu parler... Et toi ?

La jeune fille secoua la tête en signe de dénégation.

– Et qu'est-ce qu'il nous veut, ce type qu'on ne connaît pas ?

– C'est une très longue histoire, soupira Broch.

– Attendez ! s'exclama alors Marin. Vous avez dit « *Ici,* il se fait appeler Proteus ». Qu'entendez-vous par là ?

– Je suppose qu'à l'heure qu'il est, vous l'avez compris l'un et l'autre. Vous êtes ici dans une autre dimension de la réalité. Ce monde n'est pas celui dans lequel vous avez vu le jour, répondit Broch.

Les deux jeunes gens échangèrent un regard éloquent.

– On se demandait seulement *comment* une telle chose était possible, murmura Tessa.

– Je vous l'expliquerai bientôt. Mais soyez assurés que *c'est* possible.

– Donc, si je vous suis bien, ce Zacharie Speruto vit à la fois dans ce monde et dans le nôtre ?

– Pas en même temps. Il va de l'un à l'autre et change alors d'identité. D'où son pseudonyme...

– Proteus, compléta Marin. Ça aurait un rapport avec Protée, le dieu grec doté du pouvoir de métamorphose ?

– Tout à fait, confirma Broch. Speruto n'a pas choisi ce nom au hasard. D'autant qu'il s'agit d'une anagramme de son patronyme.

Interloqués, Tessa et Marin vérifièrent mentalement. Effectivement, on retrouvait les mêmes lettres dans un ordre différent.

– Ce type est fou ! estima Marin.

– Sous certains aspects, oui. Mais il est également très joueur.

– Vous semblez bien le connaître, s'étonna Marin.

Théo les rejoignit, tenant une cafetière fumante. Il lança à Broch un regard mécontent.

– Nous aurons l'occasion d'en reparler, se contenta de répondre le professeur.

– Café ? interrogea Théo.

Tessa tendit sa tasse.

– Si Proteus/Speruto va et vient d'un monde à l'autre, et si nous sommes là aujourd'hui, c'est donc qu'il existe un passage ? s'enquit-elle, pleine d'espoir.

– Surveillé nuit et jour par ses hommes de main, l'informa Broch, la mine sombre.

– Les types à cheveux blancs ? suggéra Marin.

– Exact.

Marin soupira avec force pour évacuer sa tension nerveuse. Il éprouva soudain le besoin de se lever. Il arpenta la pièce tout en se passant la main dans les cheveux, puis revint vers ses compagnons et déclara d'un ton décidé :

– Il est hors de question que nous restions ici. Ces types veulent notre peau. Nous trouverons un moyen de rentrer chez nous.

Après un bref instant de silence, Tessa se tourna vers le professeur et ajouta, frémissante :

– Et vous allez nous aider, n'est-ce pas ?

Broch les regarda l'un après l'autre avec une expression indéfinissable, puis il baissa les yeux et annonça :

– Oui. Mais ça risque d'être plus compliqué que prévu.

Remerciements

Parvenue à la fin du premier tome d'*Orphans*, je souhaiterais remercier celles et ceux qui m'ont soutenue et accompagnée tout au long de sa conception et de sa rédaction.

Caroline Westberg, bien sûr, pour son enthousiasme, sa confiance et sa longue patience, nos déjeuners parisiens et nos partages littéraires.

Laurie et Ben qui, depuis longtemps, croient en moi et dévorent mes livres.

Timou et Mariette, déesses tutélaires qui n'hésitent pas à me faire une pub tous azimuts.

Mon frère Jean-Paul, qui a pris le temps de me traduire quelques lignes des Pink Floyd alors qu'il avait deux manuscrits sur le feu au cœur de l'été.

Christophe Guillaumot, guide de choix en matière d'enquêtes policières.

Estelle Duchesne, passionnée de littérature jeunesse qui se bat encore et toujours pour défendre le livre.

Véronique Milon, pour ses précieux conseils de lecture qui m'ont permis des respirations salutaires.

Françoise Bonnin, grâce à qui j'ai pu passer de fabuleux moments de paix et de tranquillité à la campagne.

Alexandrine Wenta-Morvan, qui continue à dévaliser les librairies et m'apporte ensuite des piles de livres à dédicacer.

Et enfin Alain, présent à chaque instant et dont l'amour et la gentillesse n'ont pas de prix.

Une trilogie de CLAIRE GRATIAS

Tome 1
DOUBLE DISPARITION
Tome 2
à paraître en octobre 2013

L'AUTEUR

Claire Gratias est née à Versailles au milieu des années soixante, d'un père quercynois et d'une mère charentaise. Après des études littéraires à Aix-en-Provence et quelques années passées en Île-de-France, elle s'est finalement installée en Charente Maritime, où elle partage son temps entre écriture et photographie. La diversité des paysages de cette région et la richesse de son patrimoine architectural sont vite devenues pour elle une grande source d'inspiration, aussi bien pour capturer des images que pour créer les décors de ses romans.

Mais ce qui la passionne avant tout, c'est l'être humain. À tout moment et partout, regarder et écouter l'autre, apprendre à le connaître, avec ses envies, ses rêves, ses peurs, ses secrets et ses contradictions, découvrir sa trajectoire, sa destinée.

Auteur d'ouvrages destinés à des publics variés, Claire Gratias affiche une préférence pour le polar et le fantastique et propose aux lecteurs adolescents et adultes des fictions qui invitent à s'interroger sur notre monde et sur nous-mêmes.

Lorsqu'on lui demande pourquoi elle écrit, elle répond simplement : « Parce que je ne peux pas ne pas le faire. »

Pour en savoir plus :
http://clairegratias-claire.blogspot.fr

L'ILLUSTRATEUR

Illustrateur autodidacte, **Miguel Coimbra** réside à Lyon.

Il a été concepteur graphique dans le milieu du jeu vidéo pour Eden Games, sur des titres tels que *Titeuf*, *Test Drive Unlimited* ou *Alone in the dark*.

Aujourd'hui il travaille en free lance, essentiellement dans le monde de l'édition et du jeu vidéo, avec une prédilection pour le jeu de plateau et les cartes à collectionner.

Vous pouvez le retrouver sur son site : http://miguelcoimbra.com